Chères lectrices,

Comme il est bon de respirer l'air des vacances ! Qu'il soit chargé d'embruns, d'une douce odeur de pin, ou même encore de l'effervescence de la ville, cet air-là est bien agréable… et tellement particulier ! Est-ce parce qu'en cette période, détendues et sereines, nous sommes enfin capables de souffler, de goûter chaque petit moment de loisir ?

L'endroit où nous passons ce mois d'août importe peu… L'essentiel est de respirer pleinement l'atmosphère insouciante de l'été, de s'immerger dans son ambiance chaleureuse et colorée, de s'imprégner de sa lumière dorée. Entre nous, quelle meilleure façon de se préparer à l'ouragan de la rentrée ?

D'ici là, je vous souhaite de très bonnes vacances… et une excellente lecture !

La responsable de collection

Fiancée malgré elle

ELIZABETH BEVARLY

Fiancée malgré elle

COLLECTION AZUR

---

*éditions*Harlequin

*Cet ouvrage a été publié en langue anglaise
sous le titre :*
SOCIETY BRIDE

Traduction française de
FLORENCE MOREAU

HARLEQUIN®

est une marque déposée du Groupe Harlequin
et Azur ® est une marque déposée d'Harlequin S.A.

Originally published by SILHOUETTE BOOKS,
division of Harlequin Enterprises Ltd.
Toronto, Canada

*Toute représentation ou reproduction, par quelque procédé que ce soit, constituerait
une contrefaçon sanctionnée par les articles 425 et suivants du Code pénal.*
© 1999, Harlequin Books S.A. © 2004, Traduction française : Harlequin S.A.
83-85, boulevard Vincent-Auriol, 75013 PARIS — Tél. : 01 42 16 63 63
Service Lectrices — Tél. : 01 45 82 47 47
ISBN 2-280-20321-9 — ISSN 0993-4448

1.

— Enfin, papa, je le connais à peine ! Comment peux-tu me demander de faire une chose pareille ?

Tout en se mordillant nerveusement les ongles, Tracy Riley fixait son père d'un air abasourdi. Se rendait-il compte de ce qu'il exigeait d'elle ?

Tout autour d'eux, l'ambiance était à la fête en ce 31 décembre et il régnait un joyeux brouhaha : une musique jazzy s'égrenait en arrière-fond sonore, couverte par des éclats de voix et des rires. Soudain, l'absurdité de la situation la frappa de plein fouet : elle assistait à la réception de mariage d'une amie — dont elle était, de surcroît, le témoin — et son père venait de lui faire une proposition insensée. Tellement aberrante qu'elle sentait son pouls marteler contre ses tempes et ses oreilles siffler. Elle avait dû mal entendre !

Sans qu'elle s'en rende compte, sa main droite se crispa sur le bouquet de roses qu'elle tenait contre son fourreau.

— Tracy, ma chérie, reprit Ronald Riley sur ce ton cajoleur auquel elle n'avait jamais pu résister, la demande de Lyle Norton n'est pas si surprenante que ça, tout de même ! Tu es une superbe jeune femme et Lyle a lui-même fière allure, alors il me semble naturel que…

— Papa, l'interrompit-elle, tu te rends compte de ce que tu me demandes ? Tu veux que je m'engage intimement avec M. Norton,

7

alors que… Enfin, je veux dire, comment M. Norton peut-il exiger de quelqu'un qu'il connaît à peine de…

Elle ne put même pas finir sa phrase.

— Allons, Tracy, je t'en prie, sois raisonnable. Ce n'est pas comme si je te demandais de coucher avec lui !

Devant la naïveté de son père, elle s'exclama, outrée :

— Papa ! Tu viens de m'annoncer qu'un homme que je connais à peine veut m'épouser… Passons sur le fait que cette demande en mariage par ton intermédiaire est complètement archaïque. Néanmoins, l'idée ne t'a pas effleuré que je devrais, à un moment ou à un autre, coucher avec lui ?

— Oh… ! dit soudain son père en arrondissant les yeux, visiblement stupéfait par cette révélation. Euh… eh bien, oui, je présume que oui. Mais uniquement dans le cadre des liens sacrés du mariage !

Eh bien, pensa Tracy, voilà qui en disait long ! Son père était prêt à accepter cette sordide transaction dès lors qu'elle était cautionnée par la noble institution du mariage.

— Et puis, poursuivit son père, tu parles de Lyle Norton comme si vous étiez deux parfaits étrangers l'un pour l'autre.

— Il se trouve que j'ai dû l'apercevoir trois fois dans ma vie.

— Ça ne veut rien dire. Sache que j'ai épousé ta mère après notre deuxième rencontre.

— Oui, mais tu oublies de mentionner que tu allais partir pour le Viêt-nam, ce qui prêtait un caractère d'urgence à la situation, lui rappela-t-elle. En outre, tu as toujours affirmé qu'entre maman et toi, ç'avait été immédiatement le coup de foudre.

— Et tu crois que tu ne pourras pas aimer Lyle ?

Agacée, Tracy haussa les épaules, sans daigner répondre à sa question.

— Lyle est ton rival en affaires, papa, l'aurais-tu oublié ? l'interrogea-t-elle à son tour.

Ronald Riley sourcilla, gêné que sa fille lui rafraîchisse ainsi la mémoire. Pour garder une contenance, il s'empressa de répondre :

— C'est de bonne guerre, il ne fait que son métier.

— Oui, son métier de *raider* ! précisa-t-elle, excédée. Il passe sa vie à repérer les entreprises en difficulté pour les absorber lorsqu'elles sont au bord de la faillite. Belle mentalité, vraiment !

— Il se trouve qu'il est sur le point de racheter Riley Communications qui connaît en ce moment de graves difficultés, avoua Ronald.

— Dans ce cas, pourquoi veux-tu que j'épouse l'homme qui va signer ta perte ? s'écria Tracy, en proie à la plus grande des confusions.

— Justement, en l'épousant, tu m'évites la faillite.

— Pardon ?

Après une longue inspiration, Ronald s'empara de la main de sa fille et la regarda droit dans les yeux.

— Ecoute, Tracy, je vais être honnête avec toi. C'est Lyle qui m'a proposé ce marché.

Il fit une pause, comme pour la laisser assimiler cette information.

— Continue, je te prie, s'entendit-elle demander.

— Si je lui accorde ta main, il ne me poussera pas à déposer le bilan. Au contraire, il investira dans notre société pour la remettre sur les rails. Il s'agit de plusieurs millions de dollars, ma chérie, je ne peux pas me permettre de refuser une manne pareille. Pour tout te dire, ton mariage nous permettrait de conserver Riley Communications — c'est aussi simple que cela.

— Papa ! s'insurgea Tracy, on n'est plus au Moyen Age !

— Les mariages arrangés existent encore de nos jours, répliqua son père sans grande conviction. Et il y en a plus que tu ne le crois. Pour des raisons économiques, précisément.

Tracy poussa un long soupir.

— Comment veux-tu que j'épouse un homme que je connais à peine ? Le mariage, c'est pour la vie !

— Je crois que tu ne te rends pas bien compte de la position sociale de Lyle Norton. Toutes les femmes de Minneapolis sont à ses pieds, Tracy, et, entre toutes, c'est toi qu'il a choisie. Souviens-toi aussi que c'est un homme d'affaires : il va droit au but et ne peut se permettre le luxe de te courtiser.

Et, avant que Tracy n'ait le temps de répondre, il enchaîna :

— Tu lui as tout de suite plu, c'est pour cela qu'il voudrait t'épouser. Tu représentes pour lui la femme idéale.

— Je me demande bien ce qui lui permet d'affirmer une chose pareille !

Mon Dieu, pourquoi épiloguer quand la conversation ne menait à rien ? Cette proposition était parfaitement absurde — point à la ligne.

Son père lui adressa alors un sourire rassurant et répondit :

— Lyle m'a confié que tu étais la compagne qu'il souhaitait avoir à ses côtés : tu corresponds parfaitement à ses projets de vie. Tu es belle, cultivée, de bonne famille...

— Gentille, obéissante, fidèle, compléta-t-elle, furieuse.

En d'autres termes, une jolie potiche que Lyle Norton pourrait exhiber avec fierté.

— Je crois que ce M. Norton ferait mieux de s'acheter un gentil toutou.

— Pardon ? fit son père.

— Non, rien...

— Ecoute, Tracy, il semble réellement tenir à toi, même si vous ne vous connaissez pas très bien, tous les deux. Et permets-moi de te dire que ce jeune homme est le plus beau parti de Minneapolis. Toute autre fille, à ta place, aurait bondi de joie et serait déjà partie acheter sa robe de mariée.

— Il faut croire que je suis différente.

— Je sais que je ne peux te forcer à l'épouser, mais sache qu'au train où vont les choses, nous allons bientôt tout perdre et nous retrouver sur la paille. Et je ne parle pas simplement de notre société. Mais aussi de notre maison, de nos voitures, des bijoux de ta mère…

— Les bijoux de maman ? s'exclama-t-elle.

Certes, ils ne valaient pas une fortune, mais elle y était attachée, et à ses yeux, ils n'avaient pas de prix.

— Désolé, ma chérie, mais j'ai vraiment mal géré mes affaires. J'ai fait de très mauvais investissements qui m'ont poussé à hypothéquer tous nos biens. Après toutes ces années de travail, tous ces sacrifices !

A ces mots, un froid glacial envahit le cœur de Tracy. Il lui était insupportable de voir son père dans cet état. Ce père, si fier, si courageux, dont l'esprit brillant fourmillait toujours de mille projets ! Lui qui était parti de rien et qui avait consacré sa vie à Riley Communications, une entreprise jusque-là prospère. Non, sa réussite ne pouvait s'écrouler du jour au lendemain !

Le parcours de Ronald était d'autant plus remarquable qu'il n'avait eu personne à ses côtés pour l'épauler, sa femme étant morte très jeune, alors que Tracy était âgée de seulement deux ans. Il avait consacré le peu de loisirs que lui laissait Riley Communications à l'éducation et au bonheur de sa fille, et fait son possible pour que cette dernière ne manque de rien. Afin de compenser ses fréquentes absences, il l'avait gâtée plus qu'il n'aurait dû. Elle était son trésor le plus cher, et il l'aimait plus que tout au monde. Il n'aurait pas supporté de la voir endurer la misère qu'enfant, il avait, lui, subie.

De son côté, Tracy savait que son père la chérissait comme la prunelle de ses yeux. Il avait réalisé de si grands sacrifices pour la rendre heureuse ! Elle l'aimait de toute son âme, elle aussi. Comment pouvait-elle hésiter à lui venir en aide aujourd'hui ?

Après tout ce qu'il avait fait pour elle, n'était-ce pas un juste retour des choses ?

A bien y réfléchir, Lyle Norton n'était pas un parti si détestable que cela. Franchement, il y avait pire que ce golden boy dont tout le monde enviait la réussite. D'autant que physiquement, il était plutôt bel homme. Et d'une éducation sans faille.

Oui, à n'en pas douter, Lyle Norton était le mari idéal.

La perfection absolue servie sur un plateau d'argent.

Que voulait-elle de plus ?

En vérité, derrière cette façade trop lisse, elle soupçonnait quelque chose d'artificiel. Cet homme qu'elle avait rencontré si peu de fois lui inspirait la méfiance. Elle le trouvait hypocrite et perfide. Déformation professionnelle, sans aucun doute. On ne louvoyait pas innocemment parmi les requins de la finance. Pour les affronter, il fallait se servir des mêmes armes qu'eux. Pourtant, Lyle souffrait à ses yeux d'un défaut rédhibitoire : il était totalement dépourvu d'humour. D'ailleurs, la seule fois où elle l'avait entendu rire, c'était aux dépens d'un rival qui avait perdu toutes ses actions !

— Tracy, je suis désolé de te poser un tel ultimatum, reprit son père, mais tu es notre dernière chance. Sans toi, autant dire adieu à notre société et à notre train de vie : si tu ne l'épouses pas, nous perdons tout.

Comme elle gardait le silence, il poursuivit :

— Réfléchis au moins à cette proposition, ma chérie. Le fait que tu ne connaisses pas très bien Lyle n'est pas un problème en soi. Vous avez encore du temps pour faire plus ample connaissance. Et qui sait ? Peut-être que tu tomberas amoureuse de lui. En tout cas, tu peux être assurée d'une chose : avec Lyle, tu ne manqueras jamais de rien.

A part d'affection et d'amour ! pensa Tracy. En l'épousant, elle n'aurait plus qu'à tirer un trait sur ce sentiment merveilleux qui vous faisait tourner la tête et reléguait tout le reste au second plan…

Du moins, pour ce qu'elle en savait, car, bien qu'elle ait déjà vingt-trois ans, elle n'avait encore jamais été amoureuse. En revanche, elle avait souvent joué les confidentes et ce rôle ne lui avait pas vraiment donné l'envie de connaître à son tour des expériences sentimentales. Car, la plupart du temps, après avoir goûté au bonheur d'une relation, ses amies venaient lui confier leur peine de cœur en pleurant dans ses bras.

Aux yeux de Tracy, rien ne justifiait tant de chagrin, et les joies que l'amour apportait semblaient peu de choses au regard des souffrances qu'il provoquait. Après tout, peut-être que l'amour n'était pas indispensable dans un couple et que la recette d'un mariage réussi ne passait pas forcément par là…

Et puis elle ne pouvait pas dire qu'elle détestait Lyle Norton. Non, en un sens, elle l'admirait même — du moins, pour sa réussite professionnelle. A vingt-six ans, il était à la tête d'un véritable empire financier, ce qui était loin d'être son cas, puisqu'elle se cherchait encore !

Allons, elle ne devait pas se sous-estimer : elle aussi avait fait de bonnes études — elle avait étudié l'art, les sciences humaines et… Et savait parfaitement que ce n'était pas avec ce genre de diplômes qu'elle allait faire fortune. Tout au plus la rendaient-ils capable d'avoir de la conversation en société. Ce qui, à présent qu'elle y pensait, correspondait exactement au profil féminin que recherchait Norton !

Il n'était peut-être pas si idiot que cela de réfléchir à la proposition de son père. Il l'aimait et ne souhaitait que son bonheur… Bonheur dont, quoi qu'en dise le bon sens populaire, l'argent était un élément constitutif.

A cette pensée, Tracy laissa échapper un long soupir. Elle se sentait soudain bien lasse, incapable de poursuivre cette discussion. Baissant les yeux vers son bouquet, elle en caressa d'un air songeur les doux pétales de velours, puis déclara :

— Ecoute, papa, je vais réfléchir à cette proposition de mariage.

Et elle allait le faire, se promit-elle à elle-même tandis que son père déposait un baiser affectueux sur son front avant d'aller rejoindre les autres convives.

Toute la bonne société de Minneapolis avait été invitée au mariage de Mac Fortune et Kelly Sinclair. Kelly, qui était l'une des meilleures amies de Tracy et qui le mois prochain allait accoucher d'un petit garçon.

Livrée à elle-même, Tracy balaya du regard la salle de réception. Chapeau au décorateur ! Il avait fait des prodiges en métamorphosant cette morne salle de conférences de Fortune Corporation en un endroit chaleureux et convivial.

Du parquet hongrois avait remplacé la moquette grise et des rubans de satin crème et doré tapissaient le plafond et les chaises. Les tables avaient été dispersées et recouvertes de nappes à rayures jaunes et blanches. Des bouquets de roses et de gardénias étaient disposés sur chacune d'entre elles. Sur l'estrade, également ornée de satin et de fleurs, les musiciens jouaient à présent un charleston endiablé. Les traiteurs s'affairaient en tous sens pour présenter aux convives des plateaux garnis de petits-fours salés et sucrés, tandis que le champagne coulait à flots.

A l'extérieur, la neige tombait sans discontinuer. Les flocons voltigeaient devant les immenses baies vitrées, fascinant ballet de gouttes de soie blanche contre le dôme céleste de la nuit. La neige avait un effet apaisant, elle assourdissait la rumeur du monde. Soudain, Tracy eut une envie folle de prendre l'air...

Subrepticement, elle faussa compagnie à l'assemblée. Dans le vestibule, de nouveau saisie par la beauté du spectacle, elle s'arrêta sur sa lancée et, le nez collé à la fenêtre, s'enivra de la magie de la nuit.

A l'instar des flocons, ses pensées se mirent à tourbillonner dans son cerveau… Elle se rappela sa longue amitié avec Kelly. Elles s'étaient connues à un camp scout et, depuis, jamais leur amitié n'avait failli. Elle songea également à Lyle, à la carrière de son père. Elle tenta ensuite de se rappeler sa mère, mais seuls des fragments flous lui revenaient…

Puis elle se mit à penser à l'amour… Ce sentiment exaltant existait-il vraiment ? Ou bien était-ce elle qui était vouée à ne jamais le rencontrer ? A cette pensée, Tracy sentit une certaine fébrilité s'emparer de son être et se remit en marche. Pour être souvent venue attendre Kelly à son travail, elle savait qu'au bout du vestibule se trouvait un petit balcon qui offrait une vue merveilleuse sur Minneapolis. C'était l'endroit idéal pour réfléchir.

Elle enfila son manteau en cachemire couleur ivoire, qu'elle avait laissé au vestiaire. Bon, pour les chaussures, elle devrait se contenter de ses escarpins écrus. Elle rentrerait dès qu'elle sentirait que ses pieds commençaient à geler !

En arrivant sur le balcon, elle fut déçue de découvrir que quelqu'un d'autre avait pensé à se réfugier là. Protégée de la neige par la large avancée du toit, une imposante silhouette masculine était adossée au mur de briques. Vêtu de noir, l'homme tenait une coupe de champagne dans une main, tandis que l'autre était enfoncée dans la poche de son pantalon. La tête légèrement inclinée en arrière, il s'abîmait dans la contemplation du ciel.

Ça alors ! Garrett Fortune en personne, le témoin de Mac et aussi le plus bel homme de l'assemblée… Elle et lui avaient échangé dix mots tout au plus au cours des dernières heures. Cependant, même s'ils se connaissaient à peine, le revoir dans ce lieu magique alluma en elle une étincelle qui se propagea à tout son être. Pourquoi cet homme bouleversait-il ses sens à ce point ? Car elle devait bien admettre qu'il avait irrésistiblement attiré ses regards tout au long de la journée. Et voilà que ses pas le conduisaient à lui, comme s'il avait été un phare lumineux dans la nuit.

Durant la cérémonie et la fête qui s'était ensuivie, Garrett Fortune n'avait pas paru lui prêter une attention extraordinaire, mais de temps à autre elle avait senti son regard posé sur elle, à la dérobée. Et chaque fois, une étrange chaleur s'était emparée de son être. Elle devait même avouer, pour être tout à fait honnête, que ses regards furtifs avaient éveillé en elle un sentiment nouveau, qu'elle ne connaissait que par ouï-dire : le désir.

Oh, non pas qu'elle n'ait jamais rien désiré dans sa vie, mais jusqu'alors, il s'agissait de vœux facilement réalisables. Ce désir-là était d'une tout autre nature. Et son instinct lui disait qu'il ne serait pas aisé à combler.

— Salut ! lui dit-elle gentiment.

Pourquoi faire comme si elle ne le voyait pas ? La terrasse étant minuscule, l'ignorer aurait été ridicule.

Il se redressa et tourna les yeux vers elle. De toute évidence, il ne l'avait pas entendue arriver. Il lui adressa un vague sourire, mais demeura sur ses gardes.

Curieux ! pensa-t-elle. En général, c'était plutôt à la femme d'être vigilante quand elle se retrouvait seule avec un homme, dans la nuit. De son côté, elle ne se sentait pas le moins du monde menacée par Garrett Fortune, mais lui, en tout cas, était visiblement sur la défensive.

— Ah, salut, répondit-il.

Son timbre était profond et velouté, comme une gorgée de cognac. D'un vieux cognac qui vous réchauffait de la tête aux pieds.

— Quel beau spectacle, cette neige ! déclara-t-elle en s'approchant de lui.

De nouveau, il observa les flocons blancs et épais qui tournoyaient devant eux. De son côté, elle remarqua alors qu'il n'avait pas de manteau. Juste un smoking noir, très élégant — probablement un Armani — une chemise blanche et une cravate aussi foncée

16

que la nuit. En dépit de la température glaciale, il avait desserré sa cravate et ouvert deux boutons de sa chemise.

Peut-être le froid était-il constitutif de sa nature, car, même si cet homme éveillait en elle un étrange feu, il l'avait accueillie de manière plutôt réfrigérante.

— La beauté est trompeuse, déclara-t-il en rivant soudain son regard au sien. D'ici peu, une véritable tempête de neige va se déchaîner et ce beau spectacle, comme vous dites, tournera au danger.

Voilà une remarque plutôt rabat-joie, songea Tracy, avant d'examiner plus attentivement son compagnon à la lumière atténuée qui, de l'intérieur, parvenait jusqu'au balcon. Mon Dieu, que cet homme était beau ! D'une beauté à se damner. Malheureusement, un peu trop vieux pour elle… Il devait avoir dans les trente-cinq ans. Ses cheveux châtains étaient un peu longs, pour un homme en smoking. Mais ce détail iconoclaste ajoutait à son charme. Ses yeux noisette étaient piqués d'or, et sa bouche… Ah, sa bouche !

Elle sentit sa respiration s'accélérer, comme chaque fois que ses yeux s'étaient posés sur cette superbe bouche, aujourd'hui. Une bouche empreinte de douceur et de violence contenue. Imposant le respect, mais véritable invitation à la langueur. En tout état de cause, attirante et interdite. La quintessence de son être, pensa-t-elle, rêveuse. Et malgré elle, elle frissonna.

— Pour l'instant, la neige semble tout à fait inoffensive, observat-elle en resserrant frileusement son manteau autour d'elle.

— Il ne faut pas se fier aux apparences, renchérit-il, narquois, en plongeant son magnifique regard dans le sien. Les choses qui paraissent inoffensives ne le sont pas toujours — comme les êtres, d'ailleurs…

— En tout cas, vous, vous semblez d'une humeur plutôt morose, pour un 31 décembre, dit-elle en souriant, afin de dissimuler sa gêne.

— C'est toute l'histoire de ma vie, décréta-t-il d'un air désabusé. Ne jamais être sur la même longueur d'onde que les autres.

Garrett Fortune se rendit alors compte qu'il venait de casser l'ambiance. Quel imbécile il faisait ! Il fallait toujours que son amertume ressorte aux moments les plus inopportuns. D'ailleurs, sa ravissante compagne l'avait remarqué aussi, puisque son sourire s'était évanoui. Ce merveilleux sourire qui l'avait ébloui…

Bon sang, il devait vraiment être à cran ce soir, pour réagir de la sorte. Oh, non pas que Tracy Riley ne soit pas charmante ! Mais inoffensive, elle ne l'était certainement pas. En tout cas, pas en ce qui le concernait : elle était le type de femme qu'il devait précisément éviter.

Ah, ce qu'il pouvait détester les mariages ! Il regrettait de ne pas avoir trouvé un prétexte pour décliner l'invitation de Mac.

Néanmoins, son accueil réservé ne sembla pas entamer la détermination de Tracy, car sans attendre qu'il le lui propose, elle vint prendre place près de lui, contre le mur.

Furtivement, il observa sa compagne. Elle était bien plus petite que lui ! Pourtant, en dépit de cette inégalité physique, elle n'avait pas froid aux yeux, c'était le moins qu'on puisse dire…

Réprimant un sourire, Garrett avala une gorgée de champagne.

Son manteau recouvrait à peine ses genoux et si elle restait longtemps à côté de lui, à contempler la neige, elle allait finir par se transformer en statue de glace, dans ses bas de soie fine et ses escarpins. Pourquoi ne retournait-elle pas à l'intérieur ? S'il s'était réfugié sur le balcon, c'était parce que son âme de loup solitaire aspirait justement à la solitude. Et d'ailleurs, puisqu'il avait la réputation d'être un ours mal léché, il ne voyait pas pourquoi il aurait fait des efforts.

— Eh bien… Que pensez-vous de ce mariage ? demanda-t-elle pour briser la glace.

— Oh, c'était une très belle cérémonie, dit-il avant d'avaler encore un peu de champagne et d'ajouter : notamment pour des gens qui se connaissent depuis si peu de temps.

Elle préféra ignorer sa remarque et poursuivit :

— Mollie a fait un travail remarquable. Vraiment, tout était parfait, du début à la fin. Et dans les moindres détails.

— Je pense que le mariage est une perte de temps et une farce grotesque, décréta brusquement Garrett, sans prêter la moindre attention à ce qu'elle venait de dire.

Soufflée, Tracy répliqua du tac au tac — non sans ironie :

— Je vous en prie, ne vous gênez pas pour moi, il est bon parfois de dire ce que l'on a sur le cœur !

Sa réaction le surprit et il eut un rire embarrassé.

— Désolé, mes mots ont dépassé mes pensées.

— Il n'y a pas de mal, lui assura-t-elle d'un air vaguement narquois.

Il soupira et l'observa plus attentivement.

Elle était jeune, très jeune, sûrement encore étudiante. Jolie, très jolie, quoique un peu trop sophistiquée à son goût. De gracieuses boucles auburn encadraient l'ovale de son visage et s'arrêtaient juste au-dessus de ses yeux. Des yeux, qu'elle avait magnifiques, vert clair, sertis entre des cils bruns et épais. L'air frais avait rosi ses joues, et ses lèvres… Il retint son souffle… Ses lèvres étaient rouge foncé. Effet du froid et du fard ? En tout cas, indéniablement appétissantes.

Quelle couleur prendraient-elles s'il les embrassait ? Sa propre pensée le fit sursauter.

— J'ai vu trop de gens autour de moi se marier pour de mauvaises raisons, c'est tout, dit-il pour se justifier. En général, les choses dégénèrent rapidement, et tout finit par un divorce.

— On dirait que vous parlez en connaissance de cause, répliqua-t-elle.

19

Fine observatrice, pensa-t-il. De toute façon, à quoi bon le nier ? Oui, il avait divorcé, et il n'était en rien responsable de cet échec.

— Bien vu ! admit-il.

Elle lui adressa un regard pensif, puis demanda :

— Etes-vous en train de me dire que Mac et Kelly ne se marient pas pour de bonnes raisons ?

— On ne peut pas précisément parler d'un mariage d'amour quand un homme se marie avec une femme qui est enceinte de son frère.

— Excusez-moi, répliqua-t-elle, mais Chad Fortune a sa part de responsabilité.

— Je ne le conteste pas. Seulement, aujourd'hui, c'est Mac qui paie l'addition.

— A vous entendre, on dirait que Mac épouse Kelly le couteau sous la gorge.

— C'est un peu ça, non ?

— C'est lui qui lui a proposé le mariage.

— Et c'est elle qui a sauté sur l'occasion inespérée de devenir une Fortune, après avoir été abandonnée par le cadet de la famille.

— Vous êtes injuste ! s'exclama-t-elle. De toute façon, le bébé que porte Kelly est un Fortune. Pourquoi lui dénierait-elle ce droit ?

— Son père, c'est Chad, pas Mac. Or, ce dernier a toujours dû réparer les dégâts causés par son frère.

— Je vous rappelle tout de même que dans cette histoire, la victime, c'est Kelly. C'est elle la femme abandonnée par le père de son enfant, non ? Mais vous faites partie de ces hommes fortunés qui pensent que les femmes courent après leur argent et qu'elles sont prêtes à tout pour arriver à leurs fins.

— Et vous, feriez-vous partie de ces opportunistes qui pensent que mettre le grappin sur un homme fortuné leur permettra de vivre confortablement sans lever le petit doigt ? rétorqua-t-il, piqué au vif.

Elle lui lança un regard outré, ne sachant plus très bien qui elle défendait : elle ou son amie ! Préférant calmer le jeu et ne pas en faire une affaire personnelle, elle répondit avec tact :

— Non, je vous rassure. Cependant, je crois que vous vous trompez en ce qui concerne Mac et Kelly. Ils s'apprécient énormément tous les deux et forment un beau couple.

— Peut-être, mais ils ne s'aiment pas, déclara Garrett, décidément peu enclin au compromis.

Ces propos la laissèrent dubitative, puis elle rétorqua :

— Je suis certaine qu'ils finiront par s'aimer. D'ailleurs, peut-être qu'une relation est plus solide quand elle n'est pas fondée sur l'amour.

— C'est curieux, j'aurais juré que vous étiez du genre romantique. Que vous croyiez à l'amour, aux fleurs et aux serments enfiévrés. Au grand jeu, quoi !

Incapable de soutenir son regard moqueur, elle baissa les yeux.

— Comme quoi on peut se tromper, répondit-elle pour donner le change. En tout cas, ce n'est pas parce que Mac et Kelly ne se marient pas par amour, que leur engagement n'est pas sérieux. Au contraire ! Ils assument leurs responsabilités envers l'enfant qui va naître, et l'amour est le cadet de leurs soucis.

Soudain, ses propres propos l'effrayèrent et elle se tut. Puis, après un moment de silence, elle reprit :

— En fait, ce qui compte le plus dans le mariage, c'est peut-être l'engagement. La notion de devoir.

— Continuez comme ça, et vous finirez par croire à ce que vous dites, lui asséna sèchement Garrett, en se demandant pourquoi elle essayait de le convaincre d'un point de vue que, de toute évidence, elle ne partageait pas.

— Et alors ? Pendant des siècles, le mariage était censé consolider des fortunes familiales ou servir des ambitions politiques. Et ces unions arrangées étaient certainement plus stables que les autres. Aujourd'hui encore, je suis sûre que les gens ne se marient pas tous par amour.

— Vous le pensez vraiment ?

— Oui, répondit-elle avec une véhémence qui démentait ses propos.

Pourtant, il n'insista pas. Après tout, si Tracy Riley voulait vivre dans un monde qui excluait l'amour romantique et valorisait le sens du devoir, c'était son problème. D'ailleurs, ne partageait-il pas la même opinion, lui qui ne croyait plus à l'amour ?

Tout de même, au fond de lui, il se refusait à admettre que cette jeune femme jolie comme un cœur soit déjà blasée. Car la vie ne l'avait certainement pas encore désillusionnée.

Lui pouvait parler par expérience. Mais elle ? Que savait-elle des dures réalités de la vie ? Oh, et puis ce n'était pas ses affaires ! D'ailleurs, après cette soirée, plus jamais il ne la reverrait. Alors si elle voulait croire que le mariage de Mac et Kelly tiendrait, libre à elle, il s'en fichait royalement.

Soudain, il eut l'impression de l'avoir vexée, car elle contemplait le paysage avec une attention trop soutenue, sans dire un mot. Se sentait-elle personnellement concernée par leur conversation ? Au moment où Garrett s'apprêtait à reprendre la parole pour dissiper le malaise, un concert de Klaxons s'éleva jusqu'à eux.

— Il doit être minuit, déclara Garrett en vérifiant l'heure à sa montre. A la nouvelle année, ajouta-il, un sourire aux lèvres.

Il leva alors sa coupe de champagne dans sa direction, avant de la porter à ses lèvres. Il en but une longue gorgée, les yeux soudés aux siens par-dessus le rebord de la coupe… Soudain, il la lui tendit pour qu'elle aussi porte un toast à la nouvelle année.

Elle hésita, puis finit par la prendre. Les yeux de Garrett furent immédiatement aimantés par cette bouche couleur framboise, ces lèvres pleines et ourlées qui s'ouvraient légèrement pour boire un peu de champagne. Après une première gorgée, elle en but une deuxième, plus longue. Lorsqu'elle lui rendit sa coupe, le rebord était maculé de rouge. L'empreinte de ses lèvres fardées. Il sentit alors un violent désir s'emparer de lui.

— Bonne année, Tracy, lui dit-il d'une voix rauque.

— Bonne année, Garrett, répondit-elle en lui décochant un sourire lascif.

Subitement, il lui sembla qu'elle attendait davantage de lui. Ou il eut envie de lui donner davantage. Sur une impulsion, il pencha la tête vers elle, et effleura ses lèvres…

Oh, juste un petit baiser ! Un frôlement, rien du tout… Qui lui permit de vérifier à quel point ses lèvres étaient douces et chaudes. Et qui lui donna envie de récidiver…

Il l'enlaça alors par la taille et l'attira contre lui, tout en espérant intérieurement qu'elle allait se débattre, tenter de se dégager…

Mais elle ne broncha pas.

Elle se contenta de rejeter légèrement sa tête en arrière et de l'observer en silence. Puis, de manière inattendue, la main de Tracy se posa sur sa poitrine et ses doigts se refermèrent sur sa cravate pour l'attirer à elle. Garrett se fit violence pour refréner ses ardeurs et, de nouveau, se contenta d'embrasser ses lèvres. Un, deux, trois petits baisers, comme les ailes d'un papillon caressant les pétales d'une fleur…

Mais soudain, la fleur lui rendit son hommage. Il sentit le baiser de Tracy et son désir devint brûlant. Incontrôlable. Perdant la raison, il resserra son étreinte et, l'attrapant par la nuque, pressa avec ferveur ses lèvres contre les siennes, impatient de prendre possession de cette bouche…

Désarçonnée, Tracy ne réagit pas immédiatement. Pourtant, au moment où il croyait qu'elle s'abandonnait, elle détourna la tête et, cette fois, le repoussa.

— Je dois rentrer, déclara-t-elle à la hâte, en fuyant soigneusement son regard. Mon père va finir par s'inquiéter.

Puis, sans ajouter un mot ni se retourner, elle s'engouffra à l'intérieur du bâtiment. Il la vit disparaître derrière les portes vitrées. Le silence s'abattit de nouveau sur le balcon.

Du pouce, il se toucha les lèvres, tout imprégnées encore de celles de Tracy. Puis il regarda la trace rouge sur sa coupe. Instinctivement, il la porta à ses lèvres, à l'endroit exact de l'empreinte, et avala le reste du champagne.

Décidément, cette année s'ouvrait sous d'étranges auspices !

2.

Le mariage avait été fixé au deuxième week-end d'avril. A une semaine de la cérémonie, Tracy se trouvait dans un état d'agitation et de nervosité extrêmes. Elle bouillonnait de rage de n'avoir pas été capable de s'opposer à la volonté de son père. Pourquoi n'avait-elle pas eu le cran de lui dire, en toute franchise, qu'elle ne voulait pas épouser Lyle ?

Se regardant dans son armoire à glace, elle poussa un long soupir. Décidément, cette robe de mariée ne lui plaisait plus du tout. Depuis son retour de chez la couturière, elle l'avait essayée au moins trois fois, et chaque fois, elle avait eu l'estomac noué.

C'était une robe en dentelle écrue, dans laquelle s'enchevêtraient des centaines de petites perles nacrées, le tout étant rehaussé de minuscules roses blanches en satin. Le voile était constitué de flots de tulle fine qui cascadaient majestueusement jusqu'au sol. Bref, une tenue adéquate pour une mariée impatiente d'échanger des vœux sincères avec l'homme dont elle était profondément amoureuse, mais qui ne convenait pas du tout à Tracy et à sa disposition d'esprit.

Comment avait-elle pu accepter une mascarade pareille ? se demanda-t-elle de nouveau. Il faut dire que les événements s'étaient enchaînés à une vitesse folle depuis que, trois mois auparavant, Lyle avait demandé sa main à son père.

Son futur époux ignorait naturellement tout de ses appréhensions. Et comment aurait-il pu les connaître puisqu'ils s'étaient à peine vus depuis qu'ils avaient pris la décision de se marier ?

Lyle n'avait pas une minute à lui et ne pouvait, hélas, se permettre le luxe de prendre part aux préparatifs du mariage. Quoi qu'il en soit, il était absolument *ravi* d'épouser Tracy, ainsi qu'il le lui avait assuré.

De nouveau, elle lança un regard dépité à son reflet dans la glace. Elle avait bien triste mine ! Ses traits étaient tirés et son teint tout pâlichon. Serait-elle en mesure de donner le change, le jour de la cérémonie ?

Lorsque son père lui avait fait part de la proposition de Lyle, elle ne se doutait pas que le mariage aurait lieu si précipitamment. Elle croyait qu'elle disposerait au moins d'un peu de temps pour faire plus ample connaissance avec son futur époux et se familiariser avec l'idée de ce mariage.

Hélas ! Dès que Ronald Riley lui avait indiqué que Tracy acceptait sa proposition, Lyle avait immédiatement décrété que le deuxième week-end d'avril serait parfait pour la cérémonie, car c'était le seul disponible dans son emploi du temps.

Lors du trimestre écoulé, durant les rares occasions où Lyle avait pu se dégager de ses obligations professionnelles et où ils avaient passé une soirée ensemble, son téléphone portable n'avait pas arrêté de sonner ! Conclusion : elle était aussi à l'aise avec son futur époux que si on lui avait demandé de faire un exposé sur la physique quantique !

Son père avait beau jeu d'affirmer qu'ils s'entendaient bien. Et pour cause, ils ne se voyaient jamais ! Ils avaient échangé au plus trois ou quatre baisers qui étaient tout sauf passionnés ! Mais Ronald Riley était aux anges et Riley Communications pouvait de nouveau faire des projets. Un avenir si radieux s'offrait à Tracy : un avenir d'où la crainte du lendemain était exclue.

Pourquoi s'obstinait-elle à ne pas prendre conscience de son bonheur ? Elle était fiancée à un homme charmant, affable. Certes pas l'amoureux transi dont rêvent la plupart des femmes, mais n'était-elle pas au-dessus de ce genre de futilités ?

« Positiver », tel était le maître mot, pensa-t-elle. Le caractère de Lyle et le sien n'étaient pas incompatibles, c'était déjà un bon point ! Ils étaient d'accord sur tous les thèmes qu'ils avaient abordés — bien qu'ils n'aient jamais vraiment discuté de choses essentielles ! Au moins, ils trouvaient des sujets de conversation et ne restaient pas à se regarder en silence dans le blanc des yeux. C'était déjà quelque chose, non ?

Et d'abord, qui avait parlé de romantisme, hein ? Pas elle, en tout cas ! A quoi bon passer le restant de ses jours à courir après une chimère ? L'amour n'existait pas, c'était bien connu ! C'était un sentiment passager, qui s'évanouissait avec le temps. Alors autant en faire l'économie.

En revanche, si elle ne saisissait pas sa chance avec Lyle, elle risquait de le regretter éternellement et de ne jamais trouver un autre homme qui lui convienne. Alors elle finirait vieille fille. Quelle horreur ! Oui, quelle affreuse perspective de mourir vierge — même si elle se refusait à envisager le moment où elle devrait passer à l'acte avec Lyle.

Cette idée lui donna soudain des sueurs froides. Inutile d'anticiper, elle aviserait le moment venu. Tout était préférable à la pauvreté, et tel était le sort qui l'attendait si Riley Communications était absorbée par ce requin de Norton — euh, par ce cher Lyle. Donc, le mariage s'imposait.

Elle tenta de penser à toutes les jeunes filles de Minneapolis qui enviaient son destin. Oui, quelle chance elle avait d'épouser Lyle, quel honneur il lui faisait ! Elle était réellement comblée.

« Continuez comme ça, et vous finirez par croire à ce que vous dites. »

De nouveau, les propos de Garrett Fortune résonnèrent à ses oreilles. Outre ces paroles, leur auteur n'avait cessé de la hanter depuis la Saint-Sylvestre… Quelle drôle d'histoire, tout de même ! Comment avait-elle pu laisser ce quasi-inconnu l'embrasser ? Elle ne comprenait toujours pas ! Il faut dire que l'effet de surprise avait joué à plein. L'instant d'avant, il lui tenait tout un discours sur le mariage de Mac et Kelly, et brusquement, il s'était penché vers elle et…

Oh, mon Dieu, quel baiser !

Quels baisers ! se corrigea-t-elle mentalement. Car il lui en avait donné plusieurs, au moins six. Oui, six, elle en était certaine, puisqu'elle les avait comptés. Et même s'ils avaient été chastes et sages — du moins jusqu'à ce qu'il essaie d'en obtenir davantage et qu'elle se dégage promptement — la caresse de ses lèvres sur les siennes l'avait bouleversée, remuée jusqu'au tréfonds de l'âme. Durant ces quelques instants où leurs lèvres s'étaient unies, un obscur désir avait gagné tout son être.

Comment appeler ce qu'elle avait alors ressenti ? De la magie, du mystère, un feu d'artifice… Oui, c'était un condensé de tout ça. Mais, lorsqu'elle l'avait senti frémir d'impatience, désireux de pousser plus loin cette étreinte, elle avait mis un brusque terme à ses initiatives. Elle n'aurait pas su dire exactement pourquoi. Par réflexe de survie, peut-être… Comme si elle pressentait que si elle lui accordait davantage, il n'y aurait plus de retour en arrière possible.

Allons, c'était ridicule, Garrett Fortune n'était qu'un inconnu, il ne pouvait pas éveiller des sentiments si forts en elle ! Pourtant telle était la réalité. Quelque chose en Garrett avait trouvé un écho instantané en elle, fait vibrer une sorte de besoin animal, touché une part ignorée d'elle-même. Une part qu'il était préférable de ne pas explorer.

En tout cas, certainement pas avec un homme qui, après quelques baisers volés, avait complètement disparu de sa vie, sans se soucier des conséquences. Et qui avait déclaré, juste avant de l'embrasser, que le mariage était une perte de temps et une farce grotesque !

Hélas, Tracy ne parvenait pas à oublier les désirs troubles qu'il avait fait naître en elle. Il s'imposait à son esprit aux moments où elle s'y attendait le moins, et toutes les nuits, il s'invitait dans ses rêves. Il s'offrait alors toutes les audaces.

Trois mois avaient beau s'être écoulés depuis les baisers échangés, la trace des lèvres de Garrett sur les siennes était intacte. Toujours aussi vive, brûlante… Sans parler de ce parfum, terriblement masculin et si troublant. Ces trois mois lui faisaient l'effet de trois minutes : la scène était restée tellement vivace dans son esprit, dans son cœur, dans son corps…

Il suffisait qu'elle y repense et son futur mari disparaissait complètement de ses pensées. Comme par enchantement, comme s'il n'avait jamais existé… Il y avait vraiment de quoi douter du bien-fondé de son mariage avec Lyle ! Le pauvre ne pouvait pas rivaliser avec ce séducteur, ce Garrett Fortune qui ne projetait pas de se marier, mais qui jetait une ombre sur ses projets à elle.

Après ces moments d'égarement, Tracy tentait de se raisonner et se disait que le souvenir embellissait les choses. Il était impossible que Garrett Fortune soit aussi merveilleux, son imagination lui jouait des tours. Non, aucun homme au monde ne pouvait incarner ce summum de virilité auquel elle l'associait. Elle fabulait, tout simplement ! Allons, un peu de réalisme ! Ils avaient à peine échangé quelques mots, et les baisers qu'il lui avait donnés… eh bien ! c'était un toast porté à la nouvelle année, voilà tout !

Pourquoi vouloir associer ces petits baisers de rien du tout à une explosion des sens, une prise de conscience de sa libido ? Quelle drôle d'idée ! Il s'agissait juste d'un incident mineur, qui ne devait pas interférer avec sa décision d'épouser Lyle.

D'ailleurs, avec ce dernier, ils formaient un couple parfait. D'accord, par consentement mutuel, ils avaient préféré attendre d'être mariés pour coucher ensemble, et alors ? Et même si aucune magie, aucun mystère n'était attaché à leur relation, Tracy pourrait parfaitement vivre aux côtés de Lyle sa vie entière. Elle n'avait pas besoin de romantisme, ni d'amour. Qu'on se le tienne pour dit !

Bien qu'elle soit une femme de son temps, qui savait prendre des décisions et planifier sa vie, elle n'oubliait pas son sens du devoir. Et elle était redevable à son père d'énormément de choses.

Ce dernier avait sacrifié sa vie personnelle pour le bonheur de sa fille. Il ne s'était jamais remarié, de crainte que Tracy se sente reléguée au second plan et délaissée. Il n'était jamais parti en vacances sans elle, et avait travaillé âprement pour lui offrir tout ce dont un enfant pouvait rêver. Il avait dépensé des sommes considérables pour lui assurer une éducation dans les meilleures écoles privées, lui avait offert des cours de danse, de piano, d'équitation. Il n'avait pas lésiné sur les moyens.

Tout ce que Ronald Riley avait entrepris, c'était dans son intérêt à elle, sa fille unique, son bijou précieux. Aussi Tracy ne pouvait-elle pas le trahir maintenant.

D'ailleurs, il ne s'agissait pas uniquement de son père. Tracy perdrait elle aussi tous ses privilèges, si Riley Communications faisait faillite. Bien sûr, elle pourrait s'en remettre plus aisément que son père, mais l'enfant choyée qu'elle avait été n'était pas psychologiquement préparée à une telle dégringolade.

Frustrée, elle passa une main dans ses boucles et fit soudain la grimace. Aïe ! Sa bague de fiançailles venait de s'accrocher à une mèche de cheveux. Avec précaution, elle démêla le tout, puis examina d'un œil sceptique l'énorme diamant de quatre carats monté sur or blanc et serti d'émeraudes, que Lyle lui avait offert.

Lorsque ce dernier lui avait demandé de choisir sa bague de fiançailles, elle avait opté pour un bijou plutôt discret : un solitaire d'un demi-carat. Mais Lyle s'était gentiment moqué de son choix. Une telle modestie était tout à fait incongrue quand on allait épouser

Lyle Norton ! avait-il déclaré, avant d'échanger le bijou contre une pierre étincelante, d'une grosseur à couper le souffle.

Chaque fois qu'elle regardait sa bague, un irrépressible sentiment de culpabilité s'emparait de Tracy. Elle lui pesait au doigt comme un péché sur la conscience.

Tout semblait tellement artificiel ! Cette bague, cette robe, ses sentiments pour Lyle… De nouveau, les doutes affluèrent en elle, la submergèrent. Elle ferma les yeux. Ce mariage était-il la seule issue possible ?

A ce stade de ses réflexions, elle comprit qu'elle devait réagir ! Et pour cela, rien de tel qu'un rendez-vous chez son esthéticienne. Quand le poids des pensées devenait insupportable, Tracy se consacrait par réflexe à son apparence.

Oui, elle allait confier sa tête à son institut de beauté préféré. Un long soin du visage constituait un merveilleux antidote à l'anxiété et l'indécision. Et pourquoi pas une petite manucure, comme cerise sur le gâteau ?

Avec précaution, elle replaça sa robe de mariée dans son étui en plastique et l'accrocha dans la penderie. Puis elle enfila sa chemise en velours bleu lavande et son caleçon beige — des habits bien plus confortables. D'un pas décidé, elle sortit de la maison et se dirigea vers sa voiture.

Pour un lundi après-midi, l'institut de beauté était bondé. Grâce à une annulation de dernière minute, Tracy put obtenir un rendez-vous immédiat pour les soins de manucure. En revanche, elle dut patienter pour le soin du visage. On l'installa confortablement dans la salle d'attente ; une hôtesse lui apporta des magazines et une tasse de café.

Tracy tenta de se concentrer sur sa lecture, mais finit par refermer le magazine en soupirant. Elle se mit alors à observer la salle d'attente, un endroit cossu et agréable. Un bouquet de roses répandait un agréable parfum et un concerto de Bach passait en arrière-fond sonore. Pourtant, même dans cet environnement propice à la détente, elle ne parvenait pas à retrouver une paix intérieure. Elle ferma les yeux, respira profondément, et tenta de penser à autre chose qu'à sa parodie de mariage…

Et ce fut une nouvelle fois Garrett qui envahit ses pensées ! Garrett tel qu'il s'était présenté à elle, le 31 décembre, dans son smoking dernier cri, la chemise déboutonnée avec une négligence étudiée. Quelle classe ! Son rire résonnait encore à ses oreilles, un rire d'une troublante virilité. Elle sentait encore ses lèvres chaudes sur les siennes, son menton rugueux contre sa joue… Et quelle fantastique fragrance l'avait enveloppée lorsqu'il avait penché la tête vers elle ! Ah, cette scène ne cessait de passer et repasser sur l'écran de ses souvenirs !

— Tracy ? Coucou, Tracy !

Elle sursauta et ouvrit les yeux. L'image de Garrett disparut dans un léger flou, et un autre membre de la prestigieuse famille Fortune se substitua à lui : Kate Fortune en personne, la matriarche en charge de l'empire familial !

— Bonjour, madame Fortune, répondit Tracy avec chaleur, heureuse finalement qu'on vienne l'arracher à ses réflexions.

Elle appréciait énormément Kate Fortune qu'elle rencontrait souvent quand elle venait attendre Kelly, la secrétaire de celle-ci. Du moins était-ce le cas avant le mariage de cette dernière et la naissance de la petite Annie. Car le nourrisson de deux mois occupait en ce moment sa mère à plein temps et comblait de bonheur ses deux parents. Enfin, sa mère et son père adoptif. Mais c'était une autre histoire.

— Tracy, combien de fois vous ai-je demandé de m'appeler tout simplement Kate ? Allons, pas de cérémonie entre nous !

— D'accord… Kate.

— Eh bien, comment allez-vous, ma chère ? J'ai appris par Kelly que vous alliez vous marier samedi prochain.

A ces mots, son estomac se contracta. Elle s'efforça pourtant de faire bonne figure.

— Eh oui ! répondit-elle, c'est vrai, je vais me marier. Pas de doute, Kelly vous a bien renseignée.

Kate déclara alors avec ironie :

— Quel enthousiasme !

— Je suis désolée, répondit-elle, en baissant les yeux, embarrassée. C'est juste que…

— Que quoi ?

— Non, rien, rien du tout. Excusez-moi.

Kate la jaugea d'un œil pensif et lui dit :

— Selon Kelly, l'homme que vous vous apprêtez à épouser n'est pas vraiment… comment dire ?… l'homme qu'il vous faut !

— Mais quelle femme peut savoir qui est l'homme qu'il lui faut ? répondit Tracy sans la regarder.

Elle laissa fuser un rire forcé et redressa la tête pour lui montrer que tout cela avait bien peu d'importance.

Mais Kate Fortune n'était pas le genre de femme à se laisser abuser facilement et Tracy savait qu'elle était douée d'une intuition remarquable. La façon dont elle la scrutait en ce moment prouvait qu'elle ne prenait pas ses propos pour argent comptant et qu'elle avait quelque chose de bien précis en tête…

— Je constate que Kelly a raison, décréta Kate au bout de quelques secondes. Vous vous apprêtez à commettre une belle sottise.

Tracy en resta bouche bée. Certes, Kelly avait très souvent critiqué sa décision d'épouser Lyle, arguant qu'elle devrait attendre d'être réellement amoureuse avant de s'engager par les liens du mariage. Il n'était pas légitime que les obligations dont elle se sentait redevable envers son père l'emportent sur ses véritables sentiments, soutenait Kelly. Comme si cette dernière était en droit de la juger, elle qui n'avait pas précisément fait un mariage d'amour. D'ailleurs, ce fameux mariage dont on prédisait le pire ne se passait pas si mal que ça. Kelly et Mac semblaient en effet faire bon ménage.

D'une certaine façon, leur exemple avait consolé Tracy et l'avait confortée dans ses résolutions. Lyle et elle pourraient eux aussi s'en sortir la tête haute. Certes, aujourd'hui, ils n'éprouvaient pas une affection particulière l'un pour l'autre, à l'instar de Kelly et Mac au moment de leur mariage. Mais avec le temps, cela viendrait. Comme pour Kelly et Mac.

— Mais pourquoi ? répliqua-t-elle, feignant de ne pas comprendre.

— Allons, Tracy, jouons franc-jeu. Kelly s'inquiète énormément à votre sujet. Et quoi de plus normal pour une amie si proche ! Elle craint que vous épousiez Lyle pour de mauvaises raisons et que vous vous en mordiez les doigts toute votre vie.

Et, sans lui laisser le temps de répliquer, Kate enchaîna :

— Oui, je sais ce que vous allez me rétorquer. Que Kelly elle-même ne s'est pas mariée par amour. Mais en l'occurrence, il ne s'agit pas de Kelly, mais de vous. Allons, confiez-vous à moi, cela vous fera le plus grand bien.

Tracy hésita.

Kate était une femme formidable, digne de confiance…, mais tout de même ! Elle aurait préféré avoir cette conversation avec une personne plus intime. Et puis Kate était une femme d'affaires, une personnalité de Minneapolis, pas précisément le genre de personne qui inspirait les confidences. Néanmoins, mue par une force plus puissante qu'elle, elle s'entendit répliquer :

— A votre avis, qu'est-ce qui est le plus important ? Les obligations familiales ou le grand amour ?

Kate lui adressa un sourire entendu et répondit :

— Ce n'est un secret pour personne que j'attache une importance primordiale à la famille. Mais bon, l'amour n'est pas une donnée négligeable. C'est pour cela que les poètes et les chanteurs ont survécu au passage des siècles.

— Oui, tout comme les avocats et les comptables qui organisent les mariages de raison, rétorqua Tracy.

— C'est vrai, mais de moins en moins.

— Tout comme il y a de moins en moins de poètes.

— Ecoutez, Tracy, inutile de tergiverser ! Vous n'aimez pas l'homme que vous allez épouser, est-ce que je me trompe ?

— Non, répondit-elle sur le même ton direct.

Après tout, pourquoi le nier, puisque c'était une évidence qui s'imposait à tout le monde ?

— Non, répéta-t-elle, je ne l'aime pas, mais c'est un homme bon et ce mariage sera bénéfique à ma famille.

— Et à vos yeux, c'est le principal ?

— Oui, du moins, je le crois. Et puis, avec le temps, il est possible que je finisse par l'aimer.

Hélas, cette affirmation manquait un peu de conviction !

— Vos obligations envers votre famille priment donc sur votre bonheur ?

Tracy préféra garder le silence. Kate la scruta longuement puis, ouvrant son sac à main, elle se mit à fouiller à l'intérieur, visiblement en quête d'un objet précis.

— Ecoutez, Tracy, je pense que vous devez réfléchir, et que vous avez besoin de temps et également de recul pour le faire.

— Mais je n'ai pas le temps, protesta vivement Tracy. Je me marie à la fin de la semaine, samedi prochain.

— Ma chère enfant, qui sait ce qui peut se passer en une petite semaine ? Beaucoup de choses, parfois, vous savez. Des choses déterminantes.

— Peut-être bien, mais en l'occurrence...

— Ah, les voici enfin, s'écria Kate en sortant de son sac un trousseau de clés...

... qu'elle tendit à Tracy !

— Qu'est-ce que c'est ? s'exclama celle-ci, intriguée.

— Les clés du bonheur, répondit Kate d'un air mystérieux.

Tracy lui adressa un sourire crispé et répondit :

— Navrée, je ne comprends pas.

— Vous avez besoin de vous isoler pour réfléchir. Il se trouve que je possède un petit chalet où je me retire quelquefois lorsque je dois méditer avant de prendre de graves décisions. Il m'arrive également de le prêter à des amis pour les mêmes raisons.

— Et où se trouve ce pied-à-terre ? hasarda Tracy.

— Dans le Wyoming.

— Dans le Wyoming ? répéta-t-elle. Mais je ne peux pas me rendre là-bas, je me marie samedi.

— En êtes-vous bien certaine, ma chère enfant ? rétorqua Kate en levant un sourcil sceptique.

Tracy déglutit alors avec difficulté et fit oui de la tête.

— Dans ces conditions, considérez ces petites vacances comme mon cadeau de mariage, repartit Kate. Avant le jour J, cela vous fera le plus grand bien de vous relaxer. Vous aurez ainsi tout le temps de vous préparer mentalement au contrat pour la vie auquel vous souscrirez à votre retour.

Ces ultimes propos lui firent froid dans le dos.

— Kate, j'apprécie votre offre, mais…

— Mais quoi, ma chérie ?

— Je ne peux pas y aller. J'ai trop de choses à faire ici.

— Comme quoi ?

— Eh bien…

A vrai dire, pas grand-chose, rien du tout même, puisque la mère de Lyle assurait la prise en charge totale de la fête. Ce dernier avait insisté pour que le mariage se déroule en petit comité, car une grande réception aurait représenté une perte de temps inutile. Et de toute façon, ses occupations l'auraient empêché d'y participer.

En tout et pour tout, ils avaient invité une douzaine de personnes ; Mme Norton s'était occupée des traiteurs, de la salle, des musiciens, des fleuristes, des photographes et des invitations, bien sûr.

Tout ce qu'on demandait aux convives, c'était d'être à l'heure à la cérémonie. A la mariée aussi, bien sûr, pensa-t-elle soudain.

Quelle idée saugrenue ! Evidemment, elle serait à l'heure le jour de son propre mariage ! Ce que lui proposait Kate Fortune, c'était juste de se libérer du stress inhérent à un tel événement et de profiter tranquillement de ses derniers jours de célibat. Ses derniers jours… Voilà qui sonnait de façon curieuse ! Comme si, par son mariage, elle signait son arrêt de mort.

A bien y réfléchir, quelques jours de repos lui seraient certainement salutaires, décréta-t-elle subitement. Oui, pourquoi ne pas s'accorder un repos bien mérité dans un endroit désert, sans obligations, sans responsabilités, sans rien du tout ?

Deux ou trois jours, le temps de comprendre qu'elle avait fait le bon choix, ce ne serait pas du luxe ! Elle espérait aussi retrouver le sommeil durant ce petit séjour, car depuis trois mois, le fantôme de Garrett troublait ses nuits…

D'ailleurs, qui s'apercevrait de son absence ? Lyle n'était pas à Minneapolis, et il ne rentrerait que la veille du mariage…

Sans même s'en apercevoir, Tracy se vit tout à coup tendre la main en direction des clés de Kate. Avant même qu'elle s'en saisisse, cette dernière les laissa tomber dans sa paume. Elle était désormais en possession des clés du bonheur…

— Vous allez vous rendre à Last Resort, dans le Wyoming, au ranch *Destination finale,* lui annonça Kate en souriant. C'est ainsi qu'il s'appelle.

Devait-elle y voir un signe, une prémonition ? s'interrogea Tracy, mi-amusée, mi-inquiète.

— Le fameux petit chalet se trouve non loin de l'habitation principale. Vous verrez, c'est très confortable. J'appellerai le régisseur, en rentrant, et je lui dirai qu'il vous attende pour ce soir.

— Ce soir ? Non, je crains que ce ne soit pas possible. Je dois rentrer à la maison, faire mes bagages, parler à mon père, à Lyle et…

— J'informerai moi-même votre père, annonça Kate. Cela fait une éternité que je n'ai pas discuté avec lui, ce sera une excellente occasion de renouer le contact. De son côté, il se chargera de mettre votre fiancé au courant.

Tracy voulut ouvrir la bouche pour émettre une objection, mais Kate enchaîna :

— En ce qui concerne vos bagages, vous n'avez pas besoin de grand-chose. Il y a tout sur place. Faites-moi confiance.

— Mais je ne sais pas si je vais trouver un vol pour…

— Je mets à votre disposition le jet privé des Fortune, annonça Kate comme si elle lui disait qu'elle lui prêtait sa bicyclette.

Là-dessus, elle se leva et ajouta :

— Je m'occupe de tout ! Soyez dans deux heures au hangar Fortune, pour le décollage. Vous arriverez au ranch à l'heure du dîner. Bonnes vacances, Tracy !

3.

— Ronald ? C'est Kate à l'appareil, Kate Fortune ! Il y a des lustres que nous ne nous sommes pas parlés. Eh bien, comment vas-tu ?

— Kate ! Quelle bonne surprise ! Ça fait effectivement une éternité. Je suis ravi de t'entendre. Je vais très bien, merci. Et toi ?

— Tout va pour le mieux, je te remercie. Ecoute, Ronny, je t'appelle à propos de Tracy.

— Que lui veux-tu ?

— Figure-toi que ce matin, je l'ai croisée en ville et nous avons eu toutes les deux une petite discussion fort intéressante.

— T'a-t-elle dit qu'elle se marie à la fin de la semaine ? Avec Lyle Norton, rien que ça !

— Nous en avons parlé, en effet, et je déduis, au son de ta voix, que tu es très fier de ce mariage.

— Avoue que c'est un excellent parti.

— Je ne dis pas le contraire. Mais Tracy m'a semblé extrêmement fatiguée, aussi je lui ai proposé d'aller se reposer dans l'une de mes maisons de campagne.

— Quoi ? Mais qu'est-ce que ça veut dire ?

— Rien de plus que ce que tu as entendu. Je dispose d'un petit chalet où je me rends de temps à autre pour me détendre ou faire le point sur ma vie.

— Faire le point sur ta vie ? Mais quel rapport avec Tracy ?

39

— Je vais là-bas lorsque je dois prendre de graves décisions, réfléchir aux répercussions de mes initiatives, enfin, ce genre de choses.

— Kate, je…

— J'ai donné les clés de ce chalet à Tracy et lui ai conseillé de prendre un peu de recul avant son mariage. De faire le vide dans son esprit pour mieux appréhender la situation.

— Faire le vide ? Mais enfin, elle se marie dans moins d'une semaine !

— Rassure-toi, Ronny, elle sera de retour pour le jour J. Mais étant donné les circonstances, elle a dû partir en toute hâte.

— Les circonstances ? Quelles circonstances ? s'exclama Ronald Riley.

— Je lui ai dit que je t'appellerai moi-même pour t'informer de son départ dans le Wyoming afin que tu ne t'inquiètes pas, poursuivit Kate, impassible.

— Dans le Wyoming ? s'étrangla Ronald Riley.

— Si tu as besoin de lui parler, appelle-moi et je ferai l'intermédiaire. Ne te fais aucun souci à son sujet, elle n'est pas seule et le régisseur du ranch veillera à son confort.

— Kate, que manigances-tu au juste ? demanda soudain Ronald, d'une voix blanche.

— Moi ? Mais rien du tout ! Rien du tout, mon cher ami ! Mais, entre nous soit dit, Ronny, si Faye était encore vivante, je doute fort qu'elle apprécierait tes manœuvres.

— Mes manœuvres ? De quoi parles-tu ?

— Ce mariage arrangé que tu imposes à ta fille, voilà de quoi je parle ! Faye aurait une attaque si elle voyait ça. C'était une femme si romantique… Toi aussi, d'ailleurs, autrefois, tu l'étais. Tu devrais avoir honte de contraindre Tracy à épouser un homme qu'elle n'aime pas pour sauver une entreprise que tu n'as pas su gérer.

— Kate, cela ne te regarde pas et…

— Sois sans crainte, Tracy passera un excellent séjour dans mon petit chalet. Elle est en parfaite sécurité, là-bas, et sera de retour à la maison dans quelques jours. Je t'en donne ma parole d'honneur. Mais en ce moment, je pense qu'elle a besoin d'un peu de solitude pour méditer.

— Ce dont elle a besoin, c'est…

— Je l'appellerai pour lui dire que tu es au courant afin qu'elle ne se fasse pas du mauvais sang. A bientôt, mon cher Ronald. Bonne soirée.

Fort satisfaite d'elle-même, Kate reposa le combiné, croisa les bras sur son bureau et respira profondément.

Ronald Riley devait être furieux que la situation lui échappe, mais cela lui ferait le plus grand bien, pour une fois, pensa-t-elle en souriant.

Franchement ! Jouer sur le sentiment de culpabilité de sa fille pour l'obliger à épouser un homme qu'elle n'aimait pas, quelle honte ! Et tout ça afin de sauver une société qui battait de l'aile ! Faye Riley se retournerait dans sa tombe si elle avait connaissance des manœuvres de son mari. Oh, bien sûr, ce n'était pas ses affaires, mais au nom de son ancienne amitié pour Faye, elle ne pouvait assister à un désastre pareil sans lever le petit doigt.

Tracy Riley était une jeune femme charmante et adorable, qui méritait bien mieux que ça ! Kate espérait de tout cœur que ces quelques jours dans le Wyoming la détourneraient du destin que lui avait tracé son père.

Elle regarda sa montre et ne put retenir un petit sourire. Il était temps de passer son deuxième coup de fil stratégique.

A cette heure de l'après-midi, Garrett devait se consacrer à l'une des innombrables tâches que requérait la gestion du ranch. Donc, il se trouvait loin, très loin du téléphone. Parfait, songea-t-elle. Pas de danger qu'il décroche…

Elle composa alors le numéro de *Destination finale,* et ainsi qu'elle s'y attendait, le répondeur de Garrett se déclencha au bout de cinq sonneries. Elle s'empressa de laisser un message, comme on l'y invitait.

— Bonjour, Garrett, ici tante Kate. Dieu sait comme j'ai horreur de parler à cette machine, mais tu es si rarement joignable… Je suis navrée de t'appeler à la dernière minute. Comme d'habitude, je croulais sous le travail et je n'ai pas eu le temps de le faire avant. Je voulais donc t'informer qu'une de mes amies va séjourner au chalet pendant quelques jours. Je compte sur toi pour l'accueillir avec chaleur et faire en sorte qu'elle se sente là-bas comme chez elle. Elle a besoin de faire le point sur sa vie avant de prendre des décisions cruciales pour son avenir…

— Tante Kate, je te jure que tu me le paieras !

Garrett Fortune avait prononcé ces mots à voix haute, même si personne ne pouvait l'entendre à des kilomètres à la ronde. Avec une fureur grandissante, il se mit à fixer son répondeur, comme s'il était responsable du message qu'il avait enregistré.

La dernière chose au monde qu'il souhaitait, c'était recevoir sur son domaine une de ces grandes bourgeoises excentriques de Minneapolis. Il était hors de question qu'il joue les grooms pour les amies snobs de Kate !

Il imaginait sans peine l'hôte que sa tante lui imposait. Une femme du monde qui débarquerait dans la campagne aussi apprêtée que si elle allait rencontrer un chef d'Etat, encombrée d'une demi-douzaine de bagages, avec sous le bras un chien minuscule, coiffé d'un beau nœud rose. La barbe !

Certes, le chalet appartenait à Kate et elle était libre d'y recevoir qui bon lui semblait, mais le ranch, en revanche, était son bien à lui ; il avait reçu les actes de vente la semaine dernière. Qu'elle le veuille ou non, sa tante devrait s'habituer à cette nouvelle donne. Jamais il n'aurait dû accepter qu'elle conserve le chalet.

Il fallait qu'il ait de toute urgence une discussion avec Kate, même si, pour cette fois, il ne pouvait rien faire d'autre que d'accueillir poliment son amie de Minneapolis. Qui allait arriver dans exactement… quinze minutes !

« Des décisions cruciales », avait dit Kate. Pfft… ! Quel traumatisme cette amie immanquablement riche et choyée par la vie avait-elle bien pu subir ? Au pire, sa fille avait décidé d'épouser son chauffeur, ou bien son fils voulait faire coiffure au lieu de médecine, et tous ses rêves s'effondraient. Mon Dieu ! Il pressentait déjà ce qui l'attendait. Elle allait l'appeler jour et nuit, comme si elle se trouvait au Carlton et qu'il était le groom de service.

Il ne décolérait pas. Il fallait que Kate fasse des siennes la semaine même où il commençait les transformations qui feraient de cette propriété un véritable ranch. Il y avait bien trop longtemps que le potentiel de *Destination finale* était négligé : des centaines d'hectares de terres fertiles servaient depuis des années de cadre de vacances à la famille Fortune et ses amis parasites. Quel gâchis ! Il avait décidé d'y remédier.

Lorsque, un an auparavant, Kate lui avait demandé de gérer le ranch, il avait pris la tâche à cœur. Depuis le temps qu'il avait envie de conformer l'endroit à ses rêves d'enfant ! Mais il avait bien vite compris que pour agir, il devait devenir propriétaire. Kate avait finalement accepté de lui céder le ranch, à condition de conserver le chalet et l'hectare qui l'entourait, et de pouvoir y séjourner quand elle le désirerait.

A terme, il envisageait de s'occuper du ranch à plein temps et de se dégager peu à peu des fonctions de conseiller juridique qu'il occupait à Fortune Corporation. Il était certain qu'avec une bonne gestion, le domaine deviendrait rapidement prospère. Il avait hâte de se mettre au travail —raison pour laquelle la venue de cette invitée surprise était des plus importunes.

De nouveau, il laissa échapper un juron, et tapa du poing sur la table. Quelle déveine !

Heureusement que cette femme allait séjourner au chalet et non dans la résidence principale, ce qui mettait entre eux au moins… au moins huit cents mètres de distance ! Et s'il coupait les fils du téléphone, au chalet, afin qu'elle ne soit pas à chaque instant en train de le harceler ?

Soudain, le gravier crissa à l'extérieur. Trop tard pour ses plans de sabotage ! Il prit une large inspiration et s'apprêta à affronter une lady sophistiquée, croulant sous ses bagages Vuitton.

Prenant son temps, il jeta un coup d'œil derrière le carreau de la cuisine avant d'aller ouvrir la porte… et resta abasourdi.

Ça alors ! Quel choc !

Sur la toile de fond d'un immense ciel strié de rose, de violet et d'orange, le passé lui revint comme un boomerang en plein visage.

Tracy Riley en personne, rien que ça !

Penchée à l'intérieur de sa voiture de location pour récupérer quelque chose — ses bagages, très certainement — elle ne pouvait pas le voir. Et c'était tant mieux.

Bon sang, il ne manquait plus que ça !

Avec le coucher de soleil en arrière-plan et ses boucles qui cascadaient de chaque côté de son visage, elle rappela à Garrett ces madones que les préraphaélites adoraient représenter. Des femmes aux formes pleines et aux airs languides, dans des champs de blé, au crépuscule…

Secouant la tête, il tenta de chasser les curieuses pensées qui, contre son gré, submergeaient son esprit. Hélas, il ne parvint pas à tempérer la chaleur et le désir qui gagnaient son être tout entier ! Mon Dieu, comment allait-il s'en sortir, avec Tracy Riley à domicile ?

Allons, il s'agissait de l'amie de Kate ! C'était sous cet angle qu'il devait envisager la situation. Une amie sommée de faire des choix cruciaux, donc.

Hum, hum… Qu'est-ce qui pouvait bien pousser une femme si jeune à s'exiler dans un no man's land pour réfléchir ? Car *Destination finale* portait bien son nom : c'était un endroit reculé où pratiquement personne ne s'aventurait. On pouvait s'estimer heureux qu'il y ait l'eau et l'électricité ! Et cela convenait parfaitement à l'ermite qu'il était.

Tracy, en revanche… Eh bien, ce n'était pas vraiment le genre de femme que l'on imaginait dans un ranch situé au milieu de nulle part. Au mariage de Mac, elle lui avait donné l'impression d'être une personne conviviale et chaleureuse, capable de nouer de nouvelles amitiés en un rien de temps, et qui évoluait en société comme un poisson dans l'eau.

Bien qu'ils aient passé peu de temps ensemble, ils avaient eu une conversation fort édifiante. Entre autres choses, bien sûr… Sans qu'il s'en rende alors compte, Tracy s'était immiscée en lui et avait élu domicile dans son cœur, son esprit, son corps. Tous ses efforts pour l'en déloger avaient été vains. Quoi qu'il fasse, il sentait constamment sa présence à la lisière de ses pensées. Elle s'imposait à lui aux moments les plus inattendus. Alors, sa gorge se nouait, sa respiration devenait saccadée…

Et tout ça, à cause de quelques baisers qui l'avaient troublé au point qu'il avait bien failli rappeler Tracy, chez elle, dès le lendemain, pour lui demander si…

Si quoi ? Qu'est-ce qui lui était passé par la tête ? Il avait déjà échangé des baisers avec d'autres femmes, non ? Des baisers sans importance, et qu'il avait oubliés sitôt donnés. Alors pourquoi n'en avait-il pas été de même avec celle-ci ? Pourquoi ces baisers-là l'avaient-ils tellement ébranlé ? Il avait beau chercher, il ne parvenait pas à déceler ce qu'ils avaient de si extraordinaire, pour qu'ils continuent à le hanter, quelques mois plus tard…

Allons, tout cela n'avait aucun sens ! Tracy était trop jeune, trop naïve pour produire un tel effet sur ses sens.

Soudain, dans la lumière du soir, elle se redressa, son sac de voyage sur l'épaule. Elle ne l'avait toujours pas aperçu, derrière son carreau, et il pouvait l'admirer tout son soûl.

Il mourait d'envie de la toucher, de sentir le grain de sa peau sous ses doigts. Il en mourait d'envie depuis trois mois. Trois longs mois d'agonie. Et voici que Tracy se matérialisait devant lui, comme si quelqu'un avait deviné ses pensées secrètes et lui avait réservé cette magnifique surprise !

Brusquement, il sentit renaître l'espoir en lui, sentiment qu'il avait presque oublié — du moins en ce qui concernait les femmes. Un sourire radieux et franc étira soudain ses lèvres, se substituant au retroussement cynique qui lui tenait habituellement lieu de sourire.

Hélas ! Lorsqu'elle souleva la main pour ramener une boucle folle à sa place initiale, la lumière du soleil couchant se réfléchit sur quelque chose d'énorme et de brillant à son doigt.

Une bague de fiançailles, pensa-t-il immédiatement, un pincement au cœur. A la main gauche, comme il se doit.

Son sourire mourut instantanément sur ses lèvres.

Il comprit soudain quels étaient les choix cruciaux auxquels Tracy devait faire face. Et, eu égard à la grosseur de la pierre, il ne faisait aucun doute qu'elle avait mis le grappin sur un beau parti.

Soudain, il se rappela leur conversation du jour de l'an. A présent, tout s'éclairait. Ce n'était pas réellement Kelly, que Tracy défendait avec véhémence quand elle soutenait que l'amour n'était pas nécessaire au mariage. Apparemment, elle non plus ne se souciait guère des sentiments lorsqu'il s'agissait de s'unir pour la vie. Cette énorme bague suffisait à le renseigner sur ce qui motivait Tracy.

L'argent, l'argent sonnant et trébuchant — rien d'autre.

Lorsqu'elle contourna la voiture, il remarqua qu'outre son sac de voyage en bandoulière, elle portait un vanity-case. L'attirail

46

parfait de la citadine de bonne famille en vacances. Elle était vêtue d'une saharienne et d'une jupe coordonnée, dont la couleur bleu lavande rivalisait avec le ciel de cette soirée finissante. Il laissa son regard courir sur son corps, un regard consumé par le désir… Soudain, ce regard se heurta à ses chaussures.

Deux blocs de bois vernis d'au moins dix centimètres retenus par des lanières en cuir, voilà ce qui lui servait de chaussures ! Outre l'aspect inesthétique de la chose, elles étaient d'un pratique ! Parfaitement inadaptées au terrain ! Passe encore sur les graviers, mais lorsqu'elle se risquerait sur l'herbe, elle glisserait à coup sûr. Tiens, qu'est-ce qu'il disait !

Tracy venait de se tordre le pied. Instinctivement, il se précipita vers la porte, mais lorsqu'il l'ouvrit, la jeune femme s'était déjà redressée. Il s'arrêta donc sur le seuil.

Affichant désormais la plus grande prudence, Tracy regardait où elle posait les pieds et testait d'abord le sol pour vérifier qu'il n'y avait aucun risque. Elle était si concentrée sur ses chaussures qu'elle ne remarqua pas Garrett, debout sur la dernière marche du perron…

… Du moins jusqu'à ce qu'elle se heurte pratiquement à lui. Elle releva alors la tête, le sourire aux lèvres. Un sourire qui s'éteignit brusquement.

— Que… que faites-vous ici ? s'exclama-t-elle en guise de salutation.

Piqué qu'elle n'exprime pas la moindre joie en le revoyant — et furieux contre lui-même d'en être vexé — Garrett répliqua sans ménagement :

— Quelle drôle de façon de saluer son hôte !

— Son hôte ? reprit-elle en fronçant les sourcils. Mais je croyais que *Destination finale* était la propriété de Kate.

— Pas depuis que je l'ai achetée. Désormais, Kate ne possède plus que le chalet et l'hectare de terrain qui l'entoure. Le reste de la propriété m'appartient.

— Dans ces conditions, je suppose que le régisseur dont Kate m'a parlé, c'est vous.

— Absolument, dit-il en hochant la tête.

A cet instant, elle plissa les yeux et se mit à le scruter. Garrett se demanda alors par quel miracle elle ne sentait pas la tension électrique qui les entourait et menaçait de les terrasser.

— Je croyais que vous travailliez comme conseiller juridique à Fortune Corporation, finit-elle par dire.

— Effectivement. Mais à temps partiel. Et de mon domicile, c'est-à-dire d'ici.

— Ah, murmura-t-elle.

— Comment connaissez-vous ma profession ?

A ces mots, elle piqua un fard. Le rose qui lui colora les joues ajoutait à son charme, pensa-t-il, assez content d'avoir enfin suscité en elle une réaction émotionnelle. Certes, il aurait aimé déclencher chez Tracy Riley autre chose que de l'embarras, mais c'était mieux que rien.

— Je… euh.

Elle déglutit avec difficulté avant de poursuivre :

— J'imagine que j'ai dû poser une ou deux questions à Kelly à votre sujet.

Cette fois, ce fut lui qui plissa les yeux.

— Et pourquoi avez-vous interrogé Kelly à mon sujet ?

De nouveau, le rouge lui monta aux joues, et il eut alors la nette impression que c'était davantage un sentiment de culpabilité que d'embarras qui la tenaillait.

— Sans raison particulière, dit-elle rapidement.

— Et qu'est-ce que Kelly vous a appris d'autre sur moi ? demanda-t-il. A part mes références professionnelles, bien sûr.

— Rien du tout ! s'empressa-t-elle de répondre d'une voix aiguë.

Eh bien ! Si ce cri n'était pas un aveu…

— Vraiment ? insista-t-il.

— Oui, elle m'a juste dit que vous étiez conseiller juridique chez Fortune Corporation, répondit-elle, avant d'ajouter à contrecœur : et que vous étiez divorcé, mais ça, je le savais déjà…

Il sentit ses cheveux se hérisser en constatant qu'il avait été l'objet de commérages au sein de l'entreprise familiale. Non qu'il en soit surpris — en général, la moindre nouvelle se répandait comme une traînée de poudre chez les Fortune ! Si l'un d'eux éternuait, dans la demi-heure qui suivait le reste de la famille lui répondait : « A tes souhaits ».

A vrai dire, l'opinion de sa famille sur son compte lui était indifférente. Mais pour la première fois, il ressentait le besoin de savoir ce que les Fortune disaient réellement de lui. Sûrement parce qu'aujourd'hui, c'était Tracy Riley qui détenait l'information.

— Est-ce que la nouvelle Mme Fortune a poussé l'indiscrétion jusqu'à vous révéler tous les détails scabreux de mon mariage et de mon divorce ? demanda-t-il d'un ton abrupt.

En dépit de sa provocation, Tracy resta de marbre.

Après tout, elle pouvait bien garder le silence ! se dit-il, désabusé. Il imaginait aisément ce que Kelly Fortune avait bien pu raconter. A coup sûr les mêmes ragots que le reste de la famille… Qu'il était un peu spécial et qu'il se moquait éperdument des convenances. Et que, pour couronner le tout, il était pourvu d'un humour bien particulier qu'il était certainement le seul à comprendre. Sans oublier de préciser qu'il était ainsi bien avant que sa femme ne vide son compte en banque et ne le quitte pour un autre homme. D'ailleurs, il n'avait tiré aucune leçon de l'expérience et son mauvais caractère s'était aggravé.

Soudain, il prit conscience que Tracy Riley le scrutait de nouveau avec intensité. Avec un intérêt bien plus soutenu que ce qu'il aurait souhaité. Car son jean et sa chemise en denim ne devaient pas être d'une propreté impeccable, après une journée de travail à l'extérieur. Il éprouvait un réel embarras à ne pas être à son avantage en face de Tracy. Elle qui était si chic ! Mis à part ces chaussures… Encore qu'à y regarder de plus près, le contraste entre son tailleur dernier cri et ces étranges chaussures n'était pas inintéressant et lui donnait du chien.

— Eh bien, que venez-vous faire ici ? reprit-il.

Malgré lui, il dirigea son regard vers les doigts soigneusement manucurés de Tracy, et plus particulièrement sur son annulaire qui portait ce surprenant diamant.

— C'est-à-dire…, commença-t-elle en l'arrachant à ses spéculations, euh…, voyez-vous, enfin…

Elle respira profondément, le temps de retrouver son vocabulaire, puis de nouveau se lança :

— Kate, votre tante, m'a dit que cela ne posait pas de problème si je passais quelques jours dans son chalet.

— Pourquoi venez-vous ici ? Parce que vous allez vous marier ?

— Oh… Kate vous a annoncé la nouvelle ? dit-elle en écarquillant les yeux.

— Non, pas du tout ! C'est juste cet énorme bloc de glace que vous portez à l'annulaire gauche qui m'a mis sur la voie.

Pourquoi avait-il l'impression d'être un amant jaloux en lui donnant cette explication ? se demanda-t-il, irrité.

La vie de Tracy Riley ne le concernait absolument pas. Elle allait se marier ? Grand bien lui fasse ! Libre à elle d'épouser un vieux schnock et de passer sa vie à collectionner des diamants gros comme des rochers !

Il remarqua soudain qu'elle aussi contemplait sa bague de fiançailles. Elle remuait les doigts comme si elle tentait de la faire étinceler dans la lumière. Curieusement, une expression de mécontentement se reflétait sur son visage.

— Je sais, dit-elle, elle est tape-à-l'œil, et ce n'est vraiment pas le genre de bague que je voulais, mais…

Mais elle n'avait pas craché dans la soupe, compléta-t-il. En silence, cette fois. Il secoua la tête, tâchant d'écarter les affreuses pensées qui ne cessaient de faire des ricochets dans son esprit. Il devait s'éloigner de Tracy Riley avant de perdre la raison et de tenir des propos qu'il regretterait amèrement par la suite.

— Le chalet se situe à huit cents mètres d'ici, dit-il alors en pointant l'index vers le sud.

Puis, de manière abrupte, il ajouta :

— Vous n'avez pas d'autres chaussures ? Je crains que celles-ci ne soient pas très appropriées au terrain.

— Je suis partie précipitamment, je n'ai pas eu le temps de me changer.

A cet instant, telle une chape de plomb, la fatigue s'abattit sur ses épaules.

Conscient de la lassitude qui venait de s'emparer de Tracy, Garrett dut se dominer pour ne pas la soulever de terre et la porter dans ses bras jusqu'au chalet. Jusqu'à sa chambre, son lit… Enfin, il pouvait tout aussi bien la porter jusqu'au sien… et pas vraiment pour dormir…

— Ne vous en faites pas, précisa-t-elle, interrompant de nouveau le cours de ses pensées, je ferai attention. Le chalet, c'est cette maison qu'on aperçoit d'ici, je suppose ?

— Donnez-moi votre sac, lui ordonna-t-il. Je vais vous accompagner, ce sera plus simple.

— Non, c'est inutile, objecta-t-elle.

— Allons, ne faites pas de manières, repartit-il un peu sèchement avant d'ajouter, plus conciliant : c'est un plaisir pour moi de porter vos bagages.

— Comme vous voudrez.

Non sans réticence, elle lui tendit son sac de voyage et son vanity-case. Il s'en empara comme s'il s'agissait de deux poids plume.

Garrett comprit alors que les quelques centaines de mètres qui séparaient sa maison du chalet ne constituaient pas une distance suffisante entre Tracy et lui.

4.

Tracy observait l'homme aux épaules d'athlète qui marchait devant elle. De nouveau, mais sans plus de succès que précédemment, elle s'efforça de contrôler les violents tambourinements qui martelaient sa poitrine. Depuis son arrivée à *Destination finale,* les différentes émotions qui la terrassaient étaient si fortes qu'elle en éprouvait presque des vertiges…

Elle aspira une large bouffée d'air qu'elle retint quelques secondes en elle, afin de bien s'oxygéner les poumons et retrouver des battements de cœur plus réguliers. Toute concentrée sur ses tourments intérieurs, elle oublia de regarder où elle posait les pieds… et s'empêtra malencontreusement dans des branchages.

« Mais qu'est-ce que ces branches cassées faisaient au beau milieu du chemin ? » eut-elle le temps de penser avant de plaquer, par réflexe, une main sur le dos de Garrett afin de ne pas tomber.

Grave erreur, qu'elle déplora aussitôt ! Car, outre le fait que ce simple geste lui avait permis de vérifier combien cet homme était fort et vigoureux — bien trop fort et vigoureux pour une femme à l'esprit un peu confus et, qui plus est, sur le point de se marier — il eut pour conséquence de faire pivoter Garrett. Spontanément, ses doigts agiles agrippèrent le bras de Tracy.

— Tout va bien ? demanda-t-il alors, le souffle court.

Tiens, tiens ! songea-t-elle. Curieux qu'une aussi courte marche l'ait à ce point essoufflé. Elle-même éprouvait des difficultés à respirer calmement, cependant elle savait que ce n'était pas dû à l'effort, mais à la présence de cet adonis à ses côtés, dont la main maintenait à présent fermement son bras. Se pouvait-il que… ?

— Oui, oui, tout va bien, répondit-elle rapidement sur un drôle de ton. Je suis juste un peu… enfin, ça va.

Elle en bégayait, incapable de penser à autre chose qu'à la chaude pression des doigts de Garrett Fortune, à ses muscles dont elle devinait le jeu sous sa chemise. Il était préférable qu'elle s'en tienne à ces vagues propos, de crainte que des paroles plus cohérentes ne trahissent ses pensées et ne lui valent des problèmes épineux…

Les assurances répétées de Tracy ne parurent pas convaincre Garrett, car il ne lui lâcha pas le bras.

— Faites attention où vous posez les pieds ! dit-il tandis qu'ils se remettaient en marche.

Elle eut alors l'étrange impression qu'il ne faisait pas uniquement allusion aux branchages qui avaient failli la faire tomber.

— En général, le sentier est dégagé, poursuivit-il, mais dernièrement, une terrible tempête a semé la zizanie dans le paysage.

De nouveau, elle crut percevoir un double sens dans ses propos, et elle affirma :

— Maintenant que je suis prévenue, je vais faire attention. Vous pouvez me lâcher le bras.

Même dans l'obscurité qui les enveloppait à présent, elle vit l'étonnement se peindre sur son visage. Visiblement, il ne s'était pas rendu compte qu'il la tenait toujours. Aussitôt, il retira sa main, comme si elle s'était posée sur des braises ardentes.

Lorsqu'ils arrivèrent au chalet, Tracy chercha dans son sac à main le trousseau de clés que lui avait remis Kate, dans le salon de beauté. Mais, avant qu'elle introduise la clé dans la serrure, Garrett s'en empara et se chargea d'ouvrir la porte. Elle réprima un soupir d'impatience. La trouvait-il trop lente ? Ou voulait-il lui montrer que c'était lui, le maître des lieux ?

Allons, il s'agissait d'un acte de pure courtoisie, voilà tout ! Ce qu'elle pouvait être susceptible, ce soir ! Subitement, elle comprit la véritable raison de son irritation : dans quelques minutes, il allait repartir alors qu'elle mourait d'envie de refermer la porte du chalet à double tour derrière eux et de faire de lui son prisonnier...

Certainement à mille lieux de ces pensées, Garrett entra dans le chalet et alluma la lumière.

Oh, oh, pensa-t-elle alors en lui emboîtant le pas, elle devait absolument se surveiller ! Se retrouver enfermée dans ce chalet avec Garrett, c'était bien la dernière des choses au monde qu'elle pouvait se souhaiter. D'ailleurs, que pourrait-elle bien faire avec un homme comme lui ?

Enfin, mis à part le séduire. Le séduire, c'est-à-dire ? Elle n'avait pas la moindre idée de la manière dont il fallait s'y prendre. Elle avait échoué dans le fin fond du Wyoming avec un homme aussi charmant et imposant que Garrett Fortune et elle ignorait comment tirer parti de cette opportunité.

Assez ! s'enjoignit-elle de nouveau pour se rappeler à l'ordre. Ses pensées prenaient un cours franchement ridicule. Elle connaissait à peine cet homme.

— Kate ne m'a pas prévenu à temps de votre arrivée. Elle m'a laissé un message sur mon répondeur au dernier moment, c'est pourquoi je n'ai pas eu le temps de préparer quoi que ce soit, déclara-t-il, l'arrachant à ses réflexions. Sinon, j'aurais au moins aéré le chalet et mis le chauffage.

Par réflexe, Tracy se frotta les bras. En dépit de l'air frais du soir, il faisait bon à l'intérieur du chalet. Elle ressentit immédiatement une sensation de bien-être dans ce nouvel environnement. Les murs étaient en lambris clair, ce qui conférait au lieu un caractère accueillant. En outre, grâce à des pots-pourris disposés sur les divers meubles, il y régnait une agréable odeur épicée.

Le mobilier avait visiblement été commandé auprès d'un menuisier du Wyoming, et les revêtements du canapé et des fauteuils se déclinaient en des tons d'ocre et de vert, en hommage au paysage de la région. Le sol était recouvert de tapis tissés à la main, où s'entrelaçaient des motifs géométriques dans des camaïeux safran et cannelle. D'immenses baies, dépourvues de doubles rideaux, couraient sur trois pans de mur, dans le salon. De jour, la vue devait être magnifique. En revanche, à la nuit tombée, les occupants du chalet ne jouissaient d'aucune intimité. Bah, quelle importance ! songea Tracy, puisqu'il n'y avait personne à des kilomètres à la ronde. Aucun visiteur importun ne viendrait l'espionner.

A part Garrett, bien sûr ! ne put-elle s'empêcher d'ajouter mentalement.

Elle chassa rapidement cette pensée de son esprit et remarqua qu'il s'était accroupi devant l'âtre pour y allumer un feu.

— Laissez, je peux le faire moi-même, déclara-t-elle. D'ailleurs, il ne fait vraiment pas froid.

Voulait-elle lui prouver qu'elle savait allumer un feu, ou avait-elle hâte qu'il quitte les lieux avant de commettre un faux pas ? se demanda-t-elle. Difficile à dire !

— La cheminée aurait besoin d'un bon ramonage. Elle est parfois capricieuse, répondit-il sans la regarder. Pour l'instant, il fait encore bon dans le chalet, mais les nuits sont très froides dans le Wyoming, même au printemps. Et comme le chauffage met un certain temps avant de diffuser une chaleur suffisante, un bon feu s'impose.

— Certes, mais je peux parfaitement…

— J'en ai pour quelques minutes seulement, trancha-t-il.

A cet instant, Tracy prit une large inspiration, compta calmement jusqu'à dix. Si elle avait su que Garrett Fortune habitait à *Destination finale*, que c'était lui le régisseur que Kate avait mentionné, jamais elle n'aurait mis les pieds dans le Wyoming !

Car c'était en partie à cause de lui qu'elle avait besoin de s'évader durant quelques jours pour faire le point. En partie ? Essentiellement, oui ! Garrett constituait son problème majeur, dans la mesure où il supplantait constamment Lyle dans ses pensées. Et c'était tout de même ce dernier qu'elle allait épouser.

Quelle erreur d'être venue ici ! Désormais, Garrett n'occupait plus uniquement son esprit, voilà qu'il se trouvait à portée de main.

A portée de main… Hum, hum, si elle envisageait la situation en ces termes, elle n'était pas au bout de ses peines. Et pourtant… Si elle avait écouté la voix de son cœur, elle aurait tout naturellement caressé le dos qu'il lui présentait, tandis qu'il s'obstinait à allumer le feu. Quel athlète ! pensa-t-elle avec admiration. La largeur de ses épaules éclipsait entièrement le foyer. Comme il était légèrement penché en avant, l'étoffe de sa chemise adhérait à la chair ferme de son dos comme une seconde peau et la danse de ses muscles, chaque fois qu'il bougeait, accélérait le battement fou de son cœur.

A cet instant, elle détourna les yeux. Mon Dieu, pourquoi la présence de Garrett la mettait-elle dans tous ses états ? Une rencontre éphémère, qui avait eu lieu de surcroît trois mois auparavant, n'était pas censée vous faire un tel effet.

Comparativement, elle avait passé bien plus de temps avec Lyle, et avait abordé avec lui davantage de sujets. Par ailleurs, son fiancé était physiquement aussi séduisant que Garrett. Enfin presque… Ah, pensa-t-elle en soupirant, pourquoi Lyle n'avait-il pas le pouvoir d'exacerber ses sens chaque fois qu'il faisait un geste, qu'il respirait, qu'il… ? Bref, pourquoi sa compagnie ne suscitait-elle aucune magie en elle ?

Et cette magie, il fallait précisément que ce soit Garrett qui l'exerce sur elle ! Garrett, cet homme qui tenait le mariage pour une hérésie ! Bon, d'accord, sa position était compréhensible : d'après ce que Kelly lui avait raconté, le sien avait été un échec cuisant.

Le craquement d'une allumette la fit sursauter, et ses yeux se reportèrent sur l'objet de ses pensées.

Quand Garrett fut certain que le petit bois s'enflammait et que les flammes allaient bientôt entamer les bûches, il se redressa enfin et se retourna. Son visage semblait s'être enfiévré sous l'effet de la chaleur. Il plongea alors son regard dans le sien.

— Bon, ça devrait tenir jusqu'à ce que vous vous mettiez au lit. Après, le chauffage prendra le relais.

— Merci, répondit-elle dans un suprême effort, c'est très gentil à vous de vous être occupé du feu.

Elle constata alors que, depuis qu'il s'était relevé, Garrett la fixait avec attention, l'air songeur…

— Qu'y a-t-il ? demanda-t-elle, gênée.

Sa question le fit tressaillir. Il ouvrit la bouche… mais finalement resta muet.

— Garrett ? fit-elle doucement pour l'encourager.

C'était la première fois qu'elle prononçait son prénom en sa présence. Et ce prénom roula voluptueusement sur sa langue, comme si elle savourait une bouchée de chocolat noir. Une sensation aiguë d'intimité et de douceur la submergea alors — bien trop aiguë à son goût.

De son côté, il sembla désarçonné en l'entendant prononcer son nom… et fit spontanément un pas dans sa direction. Mais bien vite il se reprit, s'immobilisa et déclara :

— Je crois que nous devons parler, tous les deux…

— De quoi, du nouvel an ? dit-elle avec précipitation. Je vous en prie, oubliez ce qui s'est passé entre nous. Pour ma part, c'est ce que j'ai fait.

— Si vous avez oublié ce qui s'est passé à la Saint-Sylvestre, répliqua-t-il d'un air ironique, pourquoi est-ce la première chose qui vous vient à l'esprit quand je vous dis que nous devons parler ?

Touché !

— Eh bien… de quoi d'autre pourrait-il être question, étant donné que c'est la seule fois où nous avons eu un contact ?

Il hocha la tête, et un muscle de sa joue tressauta, comme si l'allusion à cette fameuse nuit le mettait mal à l'aise.

— Je voulais simplement vous fournir des précisions sur le ranch afin de rendre votre séjour plus agréable.

— Oh, vraiment ? fit-elle d'un ton incertain.

— Non, avoua-t-il avec un sourire coupable. Je voulais effectivement reparler avec vous de cette soirée du nouvel an. De ces baisers que nous avons échangés.

— Ah, dit-elle d'une voix neutre.

— Et vous préciser que vous ne devez rien en déduire du tout, mais juste les prendre pour ce qu'ils étaient, au moment où ils ont été donnés. Rien de plus.

Quel goujat !

— Merci de cette mise en garde, mais voyez-vous, j'ai comme l'impression que vous en déduisez davantage de choses que moi, répliqua-t-elle avec impertinence.

— Ah oui ? Et qu'est-ce qui vous fait croire ça ?

Elle le toisa un instant d'un air supérieur, puis décréta :

— C'est vous qui mettez le sujet sur le tapis, c'est bien la preuve qu'il vous tracasse.

— Oui, mais uniquement parce que vous me dévorez des yeux comme si j'étais une énorme part de gâteau.

— Comme une énorme part de...

Ça alors ! Elle n'en croyait pas ses oreilles ! Cet homme avait-il le pouvoir de lire dans les pensées d'autrui ? Non seulement il l'avait percée à jour, mais en plus, il avait l'outrecuidance de le lui faire savoir. Et avec quels mots ! Subitement, elle monta sur ses grands chevaux.

— Ne prenez pas vos rêves pour la réalité, Garrett. Sachez que les desserts que j'apprécie sont bien plus suaves que vous.

Il sourcilla, sans pour autant la quitter des yeux.

Non mais, pour qui se prenait-elle, cette petite effrontée, pour se mêler de ses rêves ? Même si ces derniers mois, elle en avait été le personnage principal. En un mot, son obsession !

— Ecoutez, reprit-elle soudain d'un air las, j'ai une longue journée derrière moi et je ne tiens pas particulièrement à me disputer avec vous.

Garrett demanda alors d'un ton impassible :

— Que prenez-vous pour le petit déjeuner ?

Elle le foudroya du regard et rétorqua :

— Après tout ce que nous venons de nous dire, pensez-vous sérieusement que je vais prendre mon petit déjeuner avec vous, demain ?

— Mais je ne vous demandais pas de prendre votre petit déjeuner avec moi, protesta-t-il.

Il mentait, bien sûr, même si ce n'était pas tant leur petit déjeuner ensemble qu'il avait envisagé, mais leur nuit commune.

— En hôte attentif, je m'interrogeais simplement sur ce que mon invitée allait prendre demain matin, poursuivit-il. Tout comme ce soir, d'ailleurs, car comme je vous l'ai déjà dit, j'ai été pris de court et je n'ai pas eu le temps de remplir le réfrigérateur à votre attention.

— Oh, répondit Tracy, ne vous inquiétez pas, j'ai amené quelques en-cas, ça ira.

— C'est-à-dire ? Une barre chocolatée et une boîte de cacahuètes ?

Elle lui décocha un sourire sibyllin et ouvrit son bagage, d'où elle retira un sac plastique. Qu'elle commença à déballer lentement, tout en lui lançant de temps à autre un regard vaguement narquois, commentaire à l'appui.

— Du saumon fumé, annonça-t-elle en retirant de son sac une énorme plaque de saumon fumé sous cellophane. Du foie gras… Du caviar… Des olives noires… Des abricots secs… Des dattes et du pain de mie. Sans oublier quelques boudoirs !

59

Elle disposa le tout au fur et à mesure de son énumération sur la table du salon.

— Et pour faire passer tout ça, qu'avez-vous prévu ?

— Rien moins qu'un vin moelleux, répondit-elle avec un air de triomphe. Un petit bouquet fruité qui fera frémir mes narines et enchantera mes papilles.

— Vous avez dévalisé le garde-manger de votre vieux schnock, avant de vous envoler pour le Wyoming ?

— Non, répondit-elle en tâchant de garder l'air naturel. Je suis tout simplement allée faire des courses au supermarché. Malheureusement, mon père — ce vieux schnock, comme vous l'appelez — n'est pas un gourmet. Pour lui, la quintessence de l'art culinaire se limite à un cracker tartiné de beurre de cacahuètes.

— Je ne parlais pas de votre père, s'empressa-t-il de préciser.

— Ah bon ! Mais de qui d'autre, alors ?

— Je faisais allusion à votre fiancé, précisa-t-il, furieux contre lui-même du ton jaloux qu'il n'avait pu réprimer.

La plus grande perplexité se peignit sur ses traits et elle répliqua :

— Pour commencer, je n'habite pas avec mon fiancé… Et puis… Qu'est-ce qui vous fait penser qu'il est vieux ?

Garrett haussa les épaules et prit un air indifférent pour répondre :

— Oh, c'était juste une façon de parler.

— Je n'en ai pas vraiment l'impression.

— Eh bien… C'est une fausse impression, voilà tout !

— Vraiment ?

— Oui, vraiment !

— Bien, bien. Je crois que nous nous sommes tout dit, reprit-elle, désireuse de le voir partir.

— C'est bon, je m'en vais, répondit-il, agacé.

Il était clair que Mlle Riley avait bien d'autres choses en tête que lui ! Très bien, il allait se tenir à distance, puisque tel était son souhait. D'ailleurs, ce serait bien plus prudent pour lui aussi. Car, sous le coup de l'émotion, il lui arrivait parfois de s'égarer. Comme le soir du 31 décembre…

Mais bon sang, pourquoi cette femme l'obsédait-elle à ce point ?

Elle était du genre sophistiqué, du genre qui appréciait les choses raffinées. Qui emmenait des en-cas de type saumon fumé, foie gras, caviar. Qui fréquentait les salons de beauté et avait les ongles manucurés. Qui portait au doigt un diamant d'au moins… mille carats. Et encore, elle ne le trouvait certainement pas assez gros !

Ce n'était pas vraiment le souvenir qu'il avait gardé d'elle, après leur rencontre sur le balcon, dans l'air glacé de la nuit hivernale. Elle lui était alors apparue sous les traits d'une jeune fille adorable, simple, crédule…

Soit il avait commis une terrible erreur d'appréciation, soit il s'était passé durant ce trimestre des événements qui l'avaient métamorphosée.

Néanmoins, quel que soit le personnage que Tracy ait joué cette nuit-là, elle lui avait présenté aujourd'hui un tout autre visage : celui d'une femme qui plaçait la richesse au-dessus de toute chose sur l'échelle des valeurs. Et pour rien au monde Garrett ne voulait avoir de nouveau affaire à ce genre de personne. Même si la femme en question avait des yeux aussi verts et profonds que l'océan et une bouche à faire pâlir le plus fidèle des maris…

— Dans la cuisine, il y a un numéro de téléphone inscrit sur le pense-bête, lui précisa-t-il encore. Si vous avez besoin de quoi que ce soit, n'hésitez pas à le composer. C'est le numéro de la maison principale.

Tracy opina du chef sans mot dire. Comme si elle avait envie de parler, mais qu'elle se retenait. Du moins était-ce l'impression qu'il eut.

Tracy Riley incarnait tout ce qu'il fuyait, tout ce qu'il rejetait, tout ce qui l'irritait chez une femme, se dit-il en refermant la porte du chalet derrière lui et en reprenant le chemin de sa maison.

Dans ces conditions, pourquoi rentrait-il chez lui à reculons, le pas traînant et le cœur lourd ? Et pourquoi était-ce une priorité de l'éviter ?

Parmi toutes les questions qui se bousculaient dans son esprit, l'une d'entre elles lui parut plus particulièrement capitale et… il avait oublié de la lui poser !

Combien de temps Tracy Riley comptait-elle séjourner sur son domaine ?

Le lendemain matin, une formidable symphonie de sensations salua Tracy à son réveil. Des flots de soleil inondaient sa chambre, lui réchauffant gentiment le visage. Le chant des merles charma immédiatement ses oreilles et l'odeur des brins de lavande déposés dans une coupelle, sur la table de nuit, chatouilla agréablement ses narines.

Mmm ! Qu'il était doux de se prélasser sous la couette, dans un monde si accueillant et harmonieux. Les paupières closes, elle savourait ces délicieux instants, tout en remerciant Kate Fortune de l'avoir incitée à prendre un repos qu'elle avait bien hâtivement jugé superflu.

Car tout son être le lui réclamait à cor et à cri, et elle prit conscience que, jusque-là, elle avait préféré ignorer son état. Pourtant, cette rupture avec le quotidien lui parut soudain essentielle. Elle avait réellement besoin de réfléchir ! Elle en voulait pour preuve sa réaction de la veille, avec Garrett Fortune. Bien sûr, ces réflexions sur sa vie et ses projets, elle aurait dû les mener loin, très loin de cet homme si troublant et de son ranch. Pourtant, *Destination finale* était un paradis de tranquillité. Et, à y regarder de plus près, la présence de Garrett Fortune présentait un avantage : celui de la destruction du mythe !

Car il était évident qu'elle avait idéalisé Garrett. Par le prisme du souvenir, il était devenu à ses yeux un héros charismatique, doué du pouvoir extraordinaire de faire prendre conscience à une femme de sa féminité.

Or, hier soir, elle l'avait vu tel qu'en lui-même, au naturel. Et il était fort probable que quelques jours en sa compagnie suffiraient à la dégriser entièrement ; à lui démontrer que Garrett Fortune était un homme bien ordinaire, semblable à tous les autres hommes de la planète. Alors elle pourrait l'oublier et se concentrer sur des choses autrement déterminantes — son mariage avec Lyle et le sauvetage de Riley Communications.

Involontairement, elle poussa un petit gémissement et enfouit la tête dans l'oreiller. Cette dernière pensée avait porté un sale coup à sa bonne humeur. Elle eut soudain l'impression d'être la personne la plus malheureuse du monde.

Eh bien, si elle commençait à se morfondre dès le matin… ! Allons, elle devait se secouer. D'un geste décidé, elle se redressa, mit un pied hors de la couette, bâilla avec langueur, étira ses bras au-dessus de sa tête et… se figea dans son mouvement.

La porte ouverte de la chambre offrait une vue directe sur le salon et ses baies vitrées. Oh ! le panorama était magnifique, là n'était pas la question, mais une composante incongrue s'était incrustée dans le paysage : Garrett, torse nu, les mains protégées par des gants en cuir, coupait du bois sous ses fenêtres !

Le premier moment de surprise passé, elle se dit que c'était là une bien agréable vision. Le spectacle de la virilité en action, dès le matin, il n'y avait pas de meilleure façon de commencer la journée !

Le soleil jetait des éclats chatoyants et dorés dans les cheveux désordonnés et un rien trop longs de Garrett, et baignait son corps d'une lumière chaude et sensuelle. Les poils qui recouvraient son superbe torse allaient en s'épaississant vers le nombril, avant de disparaître derrière la barrière de son ceinturon. Son jean tombait très bas sur ses hanches. Lorsqu'il soulevait la hache, les muscles de ses avant-bras se contractaient et se gonflaient de façon impressionnante… Tracy réalisa soudain que sa gorge était toute sèche.

Comme Garrett Fortune était beau ! Beau et fort comme un dieu grec.

Elle l'observait, totalement subjuguée, tandis qu'il levait la hache au-dessus de sa tête et la laissait retomber avec souplesse. Le bois se fendait sous le choc. Il se penchait alors pour ramasser le morceau suivant, le plaçait sur le billot, et l'exercice recommençait. Le spectacle était si fascinant que Tracy resta cinq bonnes minutes dans son lit, à le contempler.

Son regard s'attardait plus particulièrement sur les muscles de son torse, tendus sous l'effort. Son corps se mouvait avec la grâce d'un félin, du haut vers le bas, et cette cadence la berçait, tout en lui donnant le vertige.

Brusquement, ce ballet répétitif fit jaillir en elle d'autres images. Des images fort suggestives…

Tracy ferma les yeux pour chasser ces images érotiques, mais leur souvenir s'était imprimé dans son cerveau. Impossible de s'en débarrasser. Son cœur se mit à battre à tout rompre et elle rouvrit brusquement les paupières.

De nouveau, l'envoûtant spectacle s'offrit à son regard. Puis vint le moment où, fatalement, Garrett cessa de couper du bois.

Avec précaution, Tracy se leva enfin et attendit que Garrett regarde ailleurs pour avancer. Elle ne savait pas vraiment s'il pouvait la voir, d'où il se trouvait, mais la dernière chose qu'elle voulait, c'était bien qu'il la surprenne en flagrant délit d'espionnage dans son pyjama en coton !

Comme il tournait la tête vers la ligne d'horizon, elle se rendit sur la pointe des pieds dans le salon, passage obligé pour gagner la salle de bains. Inconsciemment, il dut sentir sa présence, car il braqua aussitôt son regard vers la baie vitrée. Ses yeux rencontrèrent alors les siens et, telles deux boules de feu, la foudroyèrent, l'embrasant jusqu'au tréfonds de l'âme.

A son propre étonnement, elle trouva la force de lever la main pour lui adresser un vague salut. En réponse, il retroussa avec nonchalance un coin de ses lèvres, tout en faisant à son tour un petit geste de la main.

A cet instant, une sorte de déclic se produisit en elle. Brusquement mue par une incroyable audace, elle décida d'aller saluer son hôte de plus près. Et tant pis pour le pyjama, de toute façon le mal était fait !

Elle sortit du chalet.

L'air matinal était à la fois doux et tonifiant, exhalant l'odeur des sapins, du printemps et de la terre. Soudain frileuse, elle se frotta les avant-bras.

Durant le court instant où elle avait perdu Garrett de vue en se dirigeant vers la porte d'entrée, il avait passé une chemise. Néanmoins, il n'avait pas pris la peine de la boutonner...

Il portait toujours ses gants en cuir, rassemblant le bois qu'il avait coupé. Et il était toujours aussi terriblement sexy, ne put-elle s'empêcher de penser.

Il avait forcément dû remarquer sa présence. Pourtant, il ne lui prêta aucune attention et continua à amasser ses bûches. Eh bien, elle qui voulait être courtoise, elle était récompensée ! Parfait, puisqu'il le prenait de cette façon...

Réprimant un soupir d'énervement, elle tourna les talons et se dirigea d'un pas résolu vers la maison. Hélas, il ne lui laissa pas le temps de fuir !

— Tracy !

Le son de sa voix veloutée, la façon suave dont il prononça son prénom l'arrêta net.

C'était la première fois qu'il l'appelait Tracy. Entendre ses deux syllabes familières de sa bouche la fit frissonner. Frissonner de manière déraisonnable...

— Oui ? fit-elle d'un ton détaché, sans se retourner.

— Bonjour.

66

Elle lui lança alors un regard par-dessus son épaule.

La silhouette de Garrett se découpait sur le soleil matinal, donnant l'impression qu'il était la source de son pouvoir, de sa chaleur et de sa force. Que c'était lui qui brillait de tous ses feux.

— Bonjour, répondit-elle en soupirant doucement.

En quelques pas, il la rejoignit, la dépassa et, d'un pas assuré, une poignée de bûches sous le bras, il se dirigea vers le chalet.

— J'aurais pourtant juré que vous étiez une lève-tard.

— Quelle heure est-il donc ?

En principe, la première chose qu'elle faisait en se réveillant, c'était regarder l'heure. Il fallait croire que ses habitudes étaient bouleversées. Et pour cause ! Elle n'était pas habituée à voir, à son réveil, un homme à demi nu se livrer à une étrange danse sensuelle, en plein soleil, sous ses fenêtres.

— Il est un peu plus de 7 heures.

Elle le suivit à l'intérieur et le vit disposer les bûches près de la cheminée. Croisant les bras, elle lui demanda :

— Est-ce pour cette raison que vous avez choisi de couper du bois juste sous mes fenêtres ? Parce que vous croyiez que j'étais une adepte des grasses matinées et que le bruit que vous feriez me réveillerait ?

A son tour, par-dessus son épaule, il lui jeta un regard narquois et de nouveau releva sensuellement ses lèvres :

— Pensez-vous réellement que je sois capable d'une telle mesquinerie ?

— Eh bien, n'est-ce pas précisément ce que vous avez fait ?

— Si vous le dites, alors… Dans ce cas, je suis désolé.

Désolé, mon œil ! pensa-t-elle. Et elle sentit une certaine irritation la gagner.

— Oh, je vous en prie, ne soyez pas désolé. Ce n'est pas vous qui m'avez réveillé.

— C'est vrai ? dit-il en levant les sourcils, surpris. Alors qu'est-ce qui vous a arraché si tôt à la douceur du sommeil ? Des doutes concernant votre avenir ? Un sentiment de culpabilité ?

D'accord, Garrett Fortune savait manier l'ironie. Pourtant, ironie ou pas, il lui tapait sérieusement sur les nerfs.

— Ça vous plairait, n'est-ce pas, que je fasse des cauchemars ou que je sois tourmentée ? rétorqua-t-elle.

— Je ne vois pas pourquoi cela me plairait.

— Je l'ignore également, mais j'ai la drôle d'impression que vous cherchez la petite bête avec moi. J'aimerais savoir pourquoi.

— Ecoutez, répliqua-t-il sans que son expression ne change d'un iota sous son accusation, je ne cherche pas la petite bête, en réalité je ne cherche rien du tout.

— Maintenant que vous le dites, je crois que je comprends mieux.

— Cessez de parler par allusion et exprimez-vous clairement ! ordonna-t-il, en plaçant ses mains sur ses hanches.

— Oh, fit-elle avec une indifférence feinte, je veux tout simplement dire que vous appartenez à cette catégorie de personnes qui ont depuis longtemps renoncé à faire des projets.

Contre toute attente, cette remarque ne parut pas l'agacer.

— C'est vrai, concéda-t-il. Pourquoi vouloir anticiper l'avenir alors que l'on n'est pas en mesure de le contrôler ?

— Ah bon, vous pensez que vous ne contrôlez pas votre vie ?

— Tout de suite, les grandes phrases ! En tout cas, une chose est certaine : l'avenir nous réserve toujours des surprises.

A ces mots, elle lui adressa un large sourire entendu.

— Qu'est-ce que vous voulez dire encore ? s'enquit-il en plongeant son regard dans le sien.

Désormais, il était sur la défensive, comme si un simple sourire avait suffi à le désarçonner.

— Je n'insinuais rien du tout, je vous le jure.

— Ce n'est pas mon sentiment.

— Disons que je pense simplement que vous êtes quelqu'un… d'étonnant.

— Etonnant ? Ce n'est guère flatteur !

— Ah bon ? Mais pourquoi ?

— Parce que c'est un euphémisme pour « bizarre » et qu'il n'est pas agréable pour un homme de savoir qu'une belle femme pense ça de lui, c'est tout.

— Oh… Vous me trouvez belle ? dit-elle avec une candeur adorable.

Il afficha un air sceptique.

— Vous l'ignoriez, peut-être ?

Elle déplora alors vivement sa naïveté, cette question qui lui avait spontanément jailli des lèvres.

C'était la première fois qu'un homme lui disait une chose pareille — à l'exception de son père, bien sûr, mais lui, c'était différent, son jugement était forcément subjectif.

Alors comme ça, Garrett la trouvait belle ? Elle n'en croyait pas ses oreilles.

Elle avait toujours pensé qu'elle était une personne bien ordinaire, aux traits trop doux et aux hanches trop rondes. Bref, elle ne correspondait pas aux canons de la beauté actuelle, à ces femmes de tête affichant une mine décidée et une silhouette de sylphide.

Et voici que Garrett — Garrett précisément — lui annonçait qu'elle était belle.

« Une belle femme », avait-il dit.

Pour le coup, elle le trouvait réellement étonnant, surprenant… Indubitablement intéressant !

Ils se jaugèrent un bon moment en silence, sans bouger. Puis, lentement, Garrett commença à retirer ses gants, doigt après doigt. Alors elle cessa de le regarder et demanda précipitamment :

— Je prépare du thé ?

Pourvu qu'il ne reparle pas de sa prétendue beauté ! pria-t-elle intérieurement.

Il sourcilla et elle craignit un instant qu'il ne revienne à la charge. Mais de toute évidence, il n'avait pas plus envie qu'elle de naviguer en eaux troubles et déclara :

— Non, merci, je suis un buveur de café invétéré.

Elle se détendit et jura, pour le reste de son séjour, de s'en tenir à des sujets anodins avec Garrett Fortune. Ce serait bien plus reposant pour l'esprit. Beaucoup moins dangereux.

— Pour ma part, je me méfie de la caféine, répondit-elle en riant. Je n'aime pas l'idée de devenir dépendante d'une substance quelconque. Et je plains ceux qui en sont esclaves. Comme vous !

— Que voulez-vous ? On ne se refait pas. Surtout à mon âge !

Tracy se dirigea alors vers la cuisine.

C'était une pièce minuscule, mais éclairée par une large fenêtre, à laquelle étaient suspendus, à mi-hauteur, des rideaux en fine dentelle.

Elle avait espéré qu'il ne la suivrait pas. Tout faux ! A peine eut-elle rempli la bouilloire et allumé la gazinière, que l'imposante silhouette de Garrett s'introduisit dans l'espace réduit où elle s'était réfugiée. La cuisine lui parut soudain microscopique.

Ne pouvant plus supporter la chaleur de son regard qu'elle devinait posé sur sa nuque, elle se retourna. Inévitablement, leurs yeux se croisèrent, et elle remarqua son air songeur.

Ce fut alors que, de façon tout à fait inattendue, il demanda :

— Que faites-vous exactement dans la vie, Tracy ?

— Ce que je fais dans la vie ? répéta-t-elle en se mordant la lèvre inférieure, embarrassée.

— Oui, comme métier, je veux dire. Vous travaillez, non ? Ne me dites pas que vous êtes encore étudiante.

— Non, non, je ne suis plus étudiante, mais… euh, vous savez, le travail est une notion complexe et très relative, commença-t-elle.

Puis elle se lança dans un discours théorique pour masquer sa gêne :

— Ce n'est pas parce que l'on n'occupe pas un emploi bien précis que l'on ne travaille pas, n'est-ce pas ? Enfin, je veux dire, il y a bien sûr les cols bleus et les cols blancs qui travaillent pour gagner leur vie, mais il existe aussi des gens qui travaillent bénévolement, dans le dessein de nourrir leur esprit et d'être en paix avec eux-mêmes. Pour d'autres, la profession correspond à une vocation, tels les philosophes, ou encore les prêtres, et…

— Vous êtes sans emploi, n'est-ce pas ? interrompit-il.

— Euh… oui, avoua-t-elle en évitant son regard.

— Et vous recherchez un poste ? Vous avez des pistes ?

En quoi cela pouvait-il bien l'intéresser ? Néanmoins, elle s'entendit répondre :

— Oui, une ou deux.

A cet instant, le regard de Garrett tomba sur l'énorme diamant qui étincelait à son doigt.

— De toute évidence, vous en avez au moins une !

Piquée au vif, elle déclara tout à trac :

— J'ai l'étrange sensation que vous ne m'appréciez pas. Mais comment pouvez-vous vous permettre de me juger alors que vous me connaissez à peine ?

— Peut-être que je vous connais mieux que vous ne croyez !

— Que voulez-vous dire ?

— Vous appartenez à un type de femme qui m'est familier.

— Vraiment ? Je ne savais pas que j'appartenais à une catégorie précise, rétorqua-t-elle, furieuse. Je vous en prie, éclairez-moi !

Garrett observa un instant les gants en cuir qu'il tenait à la main, l'air hésitant, puis les plaça dans la poche de son jean. Il s'enferma alors dans un mutisme délibéré.

Qu'à cela ne tienne ! pensa Tracy, hors d'elle.

Pivotant sur ses talons, elle sortit du placard une boîte de thé Darjeeling qu'elle posa sur le comptoir. Elle en retira un sachet, puis rechercha une tasse, le plaça dedans, entièrement absorbée par chacun de ses mouvements… et pleine d'une sourde colère !

Soudain, sans le regarder, elle déclara :

— Merci de m'avoir coupé du bois. Ce n'était pas vraiment nécessaire, mais merci quand même. A présent, si cela ne vous ennuie pas trop, j'aimerais prendre mon petit déjeuner. Seule, précisa-t-elle.

— J'ai encore quelques bûches à rentrer.

— Mais faites, faites, je vous en prie ! dit-elle, se retournant pour ajouter : votre tante m'a conseillé de me relaxer, de prendre la vie avec philosophie, et franchement, monsieur Fortune, je n'y parviens pas quand je vous sens dans les parages !

Contre toute attente, il ne bougea pas d'un pouce.

Pire, il lui barrait le passage d'un air insolent.

Décidément, avec Garrett Fortune, elle n'était pas au bout de ses surprises. Il la regardait d'un air méfiant, comme quelqu'un qui tente d'évaluer si le serpent qu'il vient de découvrir est vénéneux ou non.

A cet instant, la bouilloire siffla. De nouveau, elle lui tourna le dos et versa l'eau frémissante sur son sachet de thé qu'elle se mit à remuer nerveusement, comme si elle cherchait à en accélérer l'infusion. Encore une fois, elle sentit le regard brûlant de Garrett sur sa nuque. Une chaleur intense l'envahit alors…

Et elle se retourna pour lui ordonner d'arrêter. Mais il avait disparu.

Comme il s'éloignait à pas lents du chalet, Garrett se sentit rattrapé par sa conscience. Ou plutôt sa mauvaise conscience.

Instinctivement, il tourna la tête et vit Tracy qui se déplaçait dans le salon, d'un pas décidé. Elle semblait vraiment furibonde.

C'était lui, bien évidemment, l'objet de sa colère ! En un sens, il la comprenait.

Pourtant, au départ, il était animé des meilleures intentions du monde. Lorsqu'il s'était mis en route pour le chalet, il voulait simplement lui couper du bois, étant donné que la veille, il avait remarqué que la réserve n'était pas très importante.

Enfin…

D'accord, il mourait aussi d'envie de la réveiller. En fait, il éprouvait l'étrange besoin de lui chercher querelle, car il supposait que s'il se disputait avec elle, il cesserait de la désirer. Hélas, il commençait à se rendre compte qu'il avait fait une erreur de jugement.

Contrairement à ses attentes, Tracy n'avait pas répondu à ses provocations. Au lieu de s'engager sur le terrain de la joute verbale, elle avait préféré le dédaigner et lui proposer du thé, comme si elle était la reine d'Angleterre.

Pourquoi cela l'avait-il exaspéré à ce point ? Qu'attendait-il de Tracy, au juste ? Depuis qu'elle était arrivée, ils avaient passé tout au plus une heure ensemble, et pas dans la plus franche cordialité.

Bien sûr, il y avait aussi les baisers de la Saint-Sylvestre. Ces baisers, ils étaient plutôt cordiaux, eux. Davantage que cordiaux, même…

Un réel sentiment de plénitude l'avait envahi quand il l'avait tenue dans ses bras. C'était certainement pour cette raison qu'il ne parvenait pas à être indifférent à sa présence aujourd'hui, chez lui.

A moins qu'il n'y ait une autre explication à cette attirance. Pourquoi ne pas se l'avouer ? Tracy lui rappelait Marianne, son ex-femme.

Oh, physiquement, les deux femmes ne se ressemblaient pas ! Marianne Somerset Fortune — ils étaient divorcés depuis trois ans, mais elle s'obstinait à porter le nom des Fortune —, Marianne, donc, était tout le contraire de Tracy.

Elle était grande et svelte, alors que Tracy, sans être petite, ne se distinguait pas particulièrement par sa taille et était dotée de quelques rondeurs bien placées qui la rendaient particulièrement féminine. En outre, la longue chevelure blonde de Marianne lui tombait dans le creux des reins tandis que Tracy avait les cheveux bouclés, auburn et coupés au niveau des épaules. Quant aux yeux de son ex-femme, ils évoquaient les ciels pâles d'hiver alors que dans ceux de Tracy, il avait l'impression qu'il pouvait distinguer le vert des fonds marins.

Néanmoins, les deux femmes partageaient certains traits de caractère — notamment une passion affichée pour les choses raffinées de la vie.

Le petit pique-nique que Tracy s'était octroyé la veille en était une preuve éclatante. Tout comme l'énorme bague de fiançailles qui décorait son annulaire manucuré.

Ah, pourquoi cette femme l'attirait-elle tellement alors qu'elle possédait les mêmes défauts que Marianne ? Il savait pourtant qu'avec cette dernière, les choses avaient rapidement dégénéré…

Ils avaient fait connaissance à l'université, alors que tous deux entamaient leur droit. Dès le début, elle lui avait annoncé la couleur, affirmant qu'elle voulait devenir avocate non par vocation, mais pour l'appât du gain. Mais il n'avait pas prêté une attention particulière à ses propos.

Puis, quand leur relation devint plus sérieuse, elle prétendait souvent, sur le ton de la plaisanterie, qu'il n'était plus nécessaire qu'elle étudie car, en épousant Garrett, elle allait faire « fortune ». Et elle riait elle-même de son bon mot. Ce qu'il n'avait pas compris, c'est que Marianne ne plaisantait pas.

Quand, deux ans plus tard, juste après leur mariage, elle arrêta ses études, il crut que c'était parce qu'elle n'avait pas encore trouvé sa voie ; il espérait qu'elle allait se consacrer à la photographie ou la littérature, ses deux passions, ainsi qu'elle le déclarait. Il ignorait qu'en réalité, à part la chasse aux riches héritiers, rien ne l'intéressait.

Elle cessa définitivement de fréquenter l'université et se mit à prendre des cours de tennis, de ski, de peinture sur porcelaine. A se rendre à des dîners mondains, des soirées privées. A fréquenter les boutiques les plus ruineuses de Minneapolis.

Garrett ne lui reprochait pas de prendre du bon temps ! Mais il aurait aimé qu'elle se consacre à des occupations moins futiles. Qu'elle fasse quelque chose de sa vie. Mais ce qu'elle avait trouvé de mieux à faire, c'était dépenser son argent.

Soudain, il frissonna.

Tout comme Marianne, Tracy ne travaillait pas et ce diamant, à son doigt, le troublait. Néanmoins, son intuition lui disait que cette dernière ne nourrissait pas les sombres desseins de Marianne.

En fait, Garrett aurait accepté cette fièvre de consommation chez son ancienne femme si elle avait consenti à avoir des enfants. Or, c'était un sujet de discorde permanent dans leur couple. Aux yeux de Marianne, la maternité l'aurait contrainte à renoncer à sa liberté.

Non, elle ne voulait pas s'encombrer d'enfants, arguait-elle invariablement lors de leurs fréquentes disputes. Elle menait une vie bien trop riche, bien trop remplie et compliquée pour ajouter des marmots à la somme de ses activités. Hélas, Garrett avait fini par découvrir que certaines « adjonctions » ne l'effrayaient pas, puisqu'elle avait pris un amant. Il avait alors décidé qu'il était temps de mettre un terme à cette farce grotesque.

En soupirant, il ouvrit la porte de sa maison et une délicieuse odeur de café vint lui chatouiller les narines. Avant de partir, il avait préparé du café et avait laissé la cafetière allumée afin de le garder au chaud.

Il se dirigea vers la cuisine, se servit une tasse, la porta à ses lèvres… et fit une horrible grimace. Il venait de se brûler la langue ! Décidément, ce n'était pas son jour !

Bon, inutile de s'appesantir là-dessus. Il était l'heure de se mettre au travail, de se jeter à corps perdu dans le travail pour y trouver l'oubli. Oublier provisoirement les brunettes lascives aux yeux verts qui dormaient dans de drôles de pyjamas sur lesquels étaient imprimés des personnages de dessins animés.

Etait-ce la dernière mode, à Minneapolis, ou une réminiscence de l'enfance ?

6.

Allongée au beau milieu d'un champ de trèfles, Tracy scrutait d'un air songeur le bleu intense du ciel. Si ses estimations étaient exactes, elle se trouvait à environ un kilomètre du chalet. Dans la direction opposée de la résidence principale.

Fermant les paupières, elle inhala la douceur du printemps et s'efforça de faire le vide dans son esprit. Peu à peu, les pensées se rapportant à Minneapolis, au mariage et à son sens du devoir s'estompèrent…

De temps à autre, pour une raison quelconque — le cri d'un oiseau au loin, un léger coup de vent, un brin d'herbe qui effleurait sa joue — elle rouvrait les yeux et, chaque fois, constatait que le ciel affichait une teinte différente. En l'espace d'une heure, il était passé d'un bleu pâle à un azur plus soutenu, puis il avait lentement viré au gris mélancolique pour devenir gris ardoise.

Fascinée par cette gamme de couleurs que le ciel égrenait au-dessus de sa tête, Tracy n'eut pas la présence d'esprit de s'interroger sur la signification de ces changements. Jusqu'à ce qu'une goutte d'eau tiède vienne s'écraser sur son front. Elle fut suivie d'une deuxième, d'une troisième, et bientôt des centaines de petites piqûres rebondirent sur sa peau.

Au lieu de se lever pour courir se mettre à l'abri, elle resta étendue, immobile, les yeux clos.

Cela faisait une éternité qu'elle n'avait pas senti la pluie sur son corps et cette sensation lui plut. En outre, elle avait l'impression de commettre un acte irrationnel et en éprouvait un vif plaisir. Un peu comme un enfant qui ne peut s'empêcher de patauger dans les flaques, alors qu'on le lui a défendu.

Son jean et sa chemise de soie rouge allaient bientôt être trempés et alors ? Elle ne courait aucun danger, il n'y avait ni tonnerre, ni éclair et personne comme témoin de sa petite folie passagère.

Personne ? Au moment où son cerveau concevait cette pensée, elle entendit les sabots d'un cheval qui approchait au grand galop. Zut ! Elle avait oublié qu'elle n'était pas tout à fait seule, sur ce domaine...

Instinctivement, elle tourna la tête et aperçut la silhouette de Garrett, juché sur un étalon noir. Elle le vit ralentir l'allure. Oh, oh, il l'avait repérée ! Elle le laissa approcher sans changer de position, incapable néanmoins de contrôler les battements fous de son pouls à sa tempe, et impuissante à maîtriser la chaleur qui se répandait dans tout son corps à sa vue.

Les cow-boys n'avaient jamais fait partie de ses fantasmes. Les boots maculés de boue, les jeans effilochés et les chemises à carreaux, toute cette panoplie propre au mâle du Far West la laissait de marbre. Elle préférait les hommes qui s'habillaient avec soin et connaissaient l'usage du savon et de l'eau. Les hommes qui, dans une parfumerie, n'avaient pas besoin d'une main féminine pour les guider.

Pourtant, ce jour-là, elle dut admettre qu'il fallait se méfier des généralités. Lorsque Garrett descendit de cheval, et qu'il se dirigea vers elle d'un pas assuré, sa main droite tenant fermement la bride de l'animal mouillé, ses convictions vacillèrent...

Quel homme ! Autant dire qu'elle l'aurait guidé avec grand plaisir si elle l'avait vu errer d'un air perdu au rayon parfumerie d'un grand magasin...

Lorsqu'il fut à sa hauteur, elle leva vers lui son regard émeraude et lut sur le visage de Garrett une expression désapprobatrice. Prenant le contre-pied de son attitude, elle s'empressa de lui sourire et déclara, avec une confusion feinte :

— Mon Dieu, je ne vous avais pas entendu arriver ! Vous allez penser que j'ai complètement perdu la tête.

— Je constate surtout que vous prenez un malin plaisir à vous comporter comme une gamine, rétorqua-t-il sèchement.

Elle prit alors conscience qu'elle adorait se faire gronder par Garrett Fortune. Accentuant son sourire, elle lui demanda d'un ton provocateur :

— Depuis combien de temps n'avez-vous pas éprouvé la douce sensation que procure la désobéissance, monsieur Fortune ?

A cet instant, il lâcha la bride de son cheval pour le laisser paître tranquillement dans le champ de trèfles d'où montait une odeur de pluie et de terre mêlées. Les mains sur les hanches, il se planta juste à côté d'elle et la surplomba de toute sa hauteur.

— Eh bien, je présume que cela fait au moins trente ans que je me mets à l'abri quand il pleut sans qu'on ait besoin de me le dire.

— Oh, bien avant que je naisse, vous étiez déjà un être raisonnable, monsieur Fortune, observa-t-elle sans cesser de lui sourire.

Il se rembrunit tandis qu'elle commençait à franchement s'amuser.

— Je ne suis tout de même pas si vieux que ça…

— Non, bien sûr ! Mais vous savez, tout est relatif. Si l'on vous compare à l'âge de l'univers, on peut effectivement affirmer que vous êtes très jeune, rétorqua-t-elle d'un air moqueur.

— Ecoutez, j'ai trente-cinq ans, et je suis encore loin de penser à la retraite.

— Oh, fit-elle en écarquillant innocemment les yeux, ce qui veut dire que vous étiez déjà né lorsque des hommes ont marché pour la première fois sur la lune ?

Il serra les dents mais ne répondit rien. Quant à elle, elle laissa échapper un petit rire. Ainsi, le séduisant Garrett Fortune était sensible à un sujet aussi ridicule que celui de l'âge…

— Je plaisantais, précisa-t-elle alors. Mais avouez que vous l'avez cherché, à me sermonner comme si j'étais une petite fille.

— Quel plaisir peut-on prendre à rester étendu sous la pluie, dans un champ de trèfles ? rétorqua-t-il en lui tendant la main pour qu'elle se relève.

Ce fut alors que, subitement, elle eut envie de changer de jeu. Les chamailleries, ça suffisait comme ça ! Il était temps de passer à des choses plus sérieuses…

Se redressant soudain sur ses coudes, elle prit la main qu'il lui tendait comme si elle acceptait son aide. Les doigts de Garrett se refermèrent sur les siens. Mais alors, plutôt que décoller son corps du sol, elle tira de toute ses forces sur le bras secourable.

— Peut-être allez-vous trouver une réponse à votre question, lui dit-elle alors tandis que, déséquilibré par sa manœuvre inattendue, il basculait vers l'avant et tombait de tout son long sur elle !

Par réflexe, il plaqua une paume au sol. Leurs lèvres s'étaient presque frôlées.

Il plongea alors un regard brillant de convoitise dans les yeux de Tracy, sans chercher à se redresser. Tant pis si la position était indécente ! Cette fois, c'était elle qui l'avait cherché, non ?

Au lieu d'unir, dans le feu de l'action, sa bouche à la sienne, il se contenta en un premier temps de l'observer longuement, les avant-bras posés à présent des deux côtés de la tête de Tracy et son large torse collé contre sa poitrine.

Tracy tenta alors de maîtriser le rythme de sa respiration. Hélas, c'était peine perdue ! Chaque fois que sa poitrine se soulevait, elle se heurtait à la sienne. La chaleur mouillée de leurs vêtements se mêlait tandis que sa température intérieure atteignait des sommets…

Réduite à l'impuissance, elle ne pouvait que l'observer à son tour. Des gouttes de pluie coulaient sur sa pomme d'Adam, tandis qu'il déglutissait avec difficulté. La flamme du désir consumait les yeux dorés du beau Garrett, il entrouvrit les lèvres…

Difficile de rester indifférente ! Mue par la seule voix de la déraison, elle lui retira brusquement son chapeau et le lança loin d'eux. Puis elle enfouit ses doigts dans sa chevelure humide… Il ferma les yeux, s'abandonnant à sa caresse, la savourant en toute conscience. Lorsqu'il rouvrit les paupières, la chaleur qui couvait dans son regard était devenue incandescente.

D'une voix rauque mais sereine, il déclara en rivant ses yeux à sa bouche :

— Pourquoi me faites-vous un effet pareil ?

— Quel effet ?

Il ne répondit pas à sa question. Ses yeux remontèrent vers les siens et il pencha imperceptiblement la tête vers elle.

Elle ne sut pas très bien lequel des deux accéléra le processus. Toujours est-il qu'il captura sa bouche au moment où elle s'agrippait à ses puissantes épaules.

Tout en pressant ses lèvres contre les siennes, il immisça l'une de ses jambes entre ses cuisses, et elle poussa un petit cri en réaction à l'intimité de ce geste. Poussant son avantage, Garrett se mit à l'embrasser profondément, se faisant une idée plus précise de la saveur de sa bouche. Totalement livrée à lui et ravie de cette captivité, Tracy enfonça ses doigts dans sa chevelure et l'encouragea à continuer.

Elle sentit soudain sa virilité plaquée contre elle, et des étincelles de désir embrasèrent ses sens. Il l'embrassait éperdument, comme s'il ne parvenait pas à se rassasier de sa bouche. Comme si, au-delà de ce baiser passionné, il cherchait à s'emparer de son âme. Elle s'accrochait à lui désespérément, à sa peau humide et brûlante à la fois.

Soudain, il abandonna sa bouche pour enfouir sa tête dans son décolleté et ses lèvres coururent le long de sa gorge…

Elle se battit alors durant quelques secondes avec sa chemise de cow-boy et, quand elle parvint enfin à la retirer de son jean, ses mains glissèrent le long de son dos nu. A ce contact, les muscles de Garrett se contractèrent… et il se pressa plus intimement encore contre son entrecuisse.

— Oh, Garrett, murmura-t-elle haletante, en blottissant sa tête dans son cou.

Bouche entrouverte, elle déposa sur sa peau mouillée de rapides petits baisers.

— Garrett, répéta-t-elle sur le même ton.

Elle pouvait lui demander n'importe quoi, il était prêt à satisfaire le moindre de ses désirs. Il ondulait tout contre son corps, de façon lente et lascive, certain qu'ils se dirigeaient de concert vers l'ultime et sublime destination des amants.

Mais, quand de nouveau elle enfouit ses doigts dans ses cheveux, une chose atroce se produisit : l'énorme diamant, le monstrueux diamant que Lyle lui avait offert, s'accrocha à l'une des mèches de Garrett.

Il se figea, conscient de l'horreur de la situation.

Il la laissa démêler ses cheveux de sa bague, puis releva la tête. Dans son regard sombre, elle put lire l'ampleur de sa déception. Instinctivement, elle voulut se redresser, mais il la maintint au sol.

— Et dire que nous étions si près du but ! Je croyais vraiment que tu avais envie de moi.

— J'ai envie de toi, lui dit-elle, elle-même surprise de son assurance et de ce tutoiement qui lui était venu si naturellement, en réponse au sien.

Oh, il fallait qu'il comprenne qu'elle était sincère, qu'elle le désirait réellement et le désirerait jusqu'à la fin de ses jours…

— Cela fait des mois que j'ai envie de toi, reprit-elle. Depuis la Saint-Sylvestre, et peut-être même avant.

— Non, Tracy, ce n'est pas moi que tu désires, pas vraiment.

— Quoi ? repartit-elle avec douceur. Je ne comprends pas ce que tu veux dire…

— Bien sûr, tu ne comprends pas, c'est normal, tu es si jeune ! Si j'avais dix ans de moins, je ne me poserais pas de question et je répondrais à ton désir.

Sa réponse lui fit l'effet d'une douche froide.

— Garrett, qu'est-ce qui te prend ? Oh, je t'en prie, ne…

— Je ne suis pas le genre d'homme qu'il te faut, l'interrompit-il. Inutile d'insister.

Insister ? Qu'insinuait-il ? se demanda subitement Tracy. Qu'elle était l'unique instigatrice de ce petit jeu ?

Cette pensée attisa sa colère et décupla ses forces. De toute son énergie, elle le repoussa et finit par se retrouver dans une position assise. Alors elle déclara :

— Je n'apprécie pas tes sous-entendus et laisse-moi te préciser que c'est toi qui m'as suivie jusqu'ici. Et si quelqu'un a insisté, c'est toi, pas moi ! En revanche, si quelqu'un s'est ridiculisé, c'est bien moi.

Là-dessus, elle se releva, décidée à s'enfuir loin de lui. Mais, d'une main ferme et impérieuse, il l'empêcha de s'échapper. Lui aussi s'était relevé et la maintenait sans ménagement par le poignet.

— De quoi parles-tu ? Je ne t'ai pas suivie, c'est absurde !

Elle laissa échapper un rire nerveux.

— Absurde ? répéta-t-elle, exprimant clairement son scepticisme. Depuis mon arrivée, je ne peux pas faire un pas sans te croiser.

— C'est faux, je ne te suis pas. Et puis, je pourrais te retourner la question. Pourquoi étais-tu couchée dans ce champ de trèfles, par ce temps ?

— Moi, je suis ici pour me reposer, c'est différent ! J'ai été surprise par la pluie. Et de toute façon, je ne suis pas en sucre.

D'une vive secousse, elle se dégagea et croisa les bras, avant de demander d'un air arrogant :

— Et toi, que venais-tu faire dans ce champ ? Faucher le trèfle, peut-être ?

— D'accord, je le reconnais, je m'inquiétais pour toi...

De toute évidence, l'aveu lui coûtait.

Pourquoi ? se demanda-t-elle alors. Parce qu'elle le contraignait à avouer ? Ou bien parce qu'il était gêné des sentiments qu'il ressentait ?

— Au cas où tu ne t'en serais pas aperçue, le temps est à l'orage et je n'ai plus d'électricité chez moi, poursuivit-il. Je suis donc allé au chalet, pour voir si tu étais plus chanceuse. Et comme tu n'y étais pas, j'ai commencé à m'inquiéter... D'autant qu'il pleuvait et que l'orage menaçait. Je me suis dit que tu t'étais peut-être perdue... ou blessée.

— Oh, fit-elle, ignorant délibérément l'insidieux frisson de plaisir que lui valut cette révélation, c'est... c'est aimable à toi. Mais il est inutile de te faire du souci pour moi.

— Inutile, vraiment ? Tu restes sous une pluie d'orage au milieu d'un champ de trèfles et tu estimes que je ne dois pas m'inquiéter pour toi ? Mais qu'est-ce qui va te passer par la tête, la prochaine fois ? Tu serais capable de plonger dans une piscine infestée de piranhas !

Elle savait que le sujet de cette dispute était un prétexte, et que l'un et l'autre exprimaient une colère qui avait trait à bien autre chose. Quelque chose de beaucoup plus important, d'essentiel. Mais si Garrett souhaitait faire comme si rien ne s'était passé entre eux, après tout, c'était son droit !

— Non, répliqua-t-elle froidement. Et de toute façon, je sais nager. Entre autres choses.

— C'est curieux, mais en dépit de ta vaste expérience de la vie, je me sens responsable de toi.

— Responsable de moi ? répéta-t-elle, suffoquée. Mais je suis assez grande pour me prendre en charge, merci bien.

— Tant que tu séjournes à *Destination finale*, dans mon ranch, tu es sous ma responsabilité, décréta-t-il subitement sur un ton péremptoire. Alors, tu m'excuseras, mais il est normal que je m'assure que tu es en sécurité. Car avec toi, il me semble qu'on ne sait jamais très bien quelle sera la prochaine catastrophe.

Elle leva vers lui un regard dédaigneux, tandis qu'il la toisait de sa hauteur et de sa carrure.

Quand donc les hommes comprendraient-ils que les femmes étaient parfaitement capables de veiller sur elles-mêmes ? Quelle outrecuidance, tout de même, de croire que la sécurité et le bonheur de leurs compagnes dépendaient d'eux !

— Parfait, lui dit-elle d'un air excédé, j'accepte ce prétexte. N'en parlons plus.

— Quel prétexte ?

— Si ça peut te rassurer de penser que tu veilles sur moi poussé par ton sens de la responsabilité, ce n'est pas moi qui vais te persuader du contraire. C'est sans doute le moyen que tu as trouvé pour gérer correctement l'attirance que tu ressens à mon égard.

— Pardon ? fit-il en s'étranglant.

— Parfaitement, ton attirance pour moi, renchérit-elle en relevant le menton d'un air de défi. Comment interpréter autrement ta conduite ? Hier soir, déjà, tu as absolument tenu à m'accompagner au chalet ; ce matin, je te trouve en train de fendre du bois, à la première heure, sous mes fenêtres, et cet après-midi, alors que je me repose tranquillement, tu viens encore me déranger. Sans oublier ce fameux mariage…

— Bon, où veux-tu en venir, exactement ? l'interrompit-il, impatienté.

— Au fait que tu recherches des alibis pour passer du temps en ma compagnie ! Et avoue que tu ne parviens pas à oublier ce qui s'est passé entre nous la première fois que l'on s'est vus.

— Je crois qu'en la matière, tu es tout aussi responsable que moi.

Sans se laisser troubler par sa remarque, elle poursuivit son attaque en règle.

— Est-ce je suis venue hanter tes rêves, depuis ce jour ? Est-ce que, depuis lors, tu t'inquiètes en permanence pour moi ? Oh, je t'en prie, Garrett, dis-moi tout, je trouve ça si… si émouvant de ta part !

Elle voulait le prendre sur ce ton ? Eh bien, elle allait voir que lui aussi il savait manier la provocation !

— Et alors, quelle différence si c'était vrai ? demanda-t-il d'un ton provocateur.

Le rustre ! Elle ne croyait pas qu'il allait l'entraîner sur un terrain si glissant.

Elle hésita avant de répondre, mais il ne lui laissa pas le temps de la réflexion. Non sans jeter un regard noir au diamant qui brillait à son doigt, il précisa sa pensée :

— Est-ce que tu renoncerais à épouser ton riche fiancé ?

Tracy ouvrit la bouche, mais aucun son n'en sortit.

Soudain, le temps sembla comme suspendu, en dépit de la fine pluie qui persistait à les arroser. Ce fut alors que Garrett éclata de rire. Un rire qui sonnait faux.

Brusquement, il fit demi-tour, monta à cheval et disparut à l'horizon.

Le courant n'était toujours pas revenu. Seul dans l'obscurité — la nuit était tombée — Garrett se tenait derrière le carreau, regardant dans la direction du chalet. Que pouvait-elle bien faire ?

D'où il était, il apercevait vaguement le chalet, plongé dans le noir. Enfin, pas tout à fait. Apparemment, Tracy avait allumé des bougies dans le salon.

Mais ce n'était pas tant ce qu'il voyait qui accaparait son attention, que ce dont il se souvenait… Tracy trempée jusqu'au os, les vêtements collés à la peau, terriblement sexy…

Il savait à présent qu'elle ne portait pas de soutien-gorge. Car sa poitrine se dessinait de manière visible sous l'étoffe mouillée, tout à l'heure, lorsqu'elle était étendue sur l'herbe. Le bout hérissé de ses seins pointait sous le tissu.

A ce souvenir, il ferma les yeux, tandis que le désir creusait ses reins, titillant sa virilité. Il se rappela la façon dont il s'était pressé contre elle, tout à l'heure, entre ses jambes.

Il revoyait son épaisse chevelure briller sous la pluie. Elle évoquait une jungle luxuriante, cette chevelure qui attirait irrésistiblement ses doigts, et qu'il n'avait pas pu s'empêcher de toucher… Tout comme il n'avait pu se retenir de refermer sa paume sur sa nuque délicate, à la naissance des boucles, et d'attirer à lui ce visage d'ange pour se repaître de sa bouche éclatante.

Il poussa un long soupir désespéré.

Bon sang ! Tracy Riley n'était qu'une enfant. Enfin… une enfant pas si innocente que cela, puisqu'elle était fiancée et n'avait visiblement pas choisi le premier venu.

Pourtant, il commençait à nourrir quelques doutes sur la vénalité supposée de Tracy. Lorsqu'il l'avait embrassée dans le champ de trèfles, il avait senti en elle une sincérité en total désaccord avec ses soupçons. Une sincérité qui avait failli lui faire perdre le peu de raison qui lui restait.

Bon sang, il était légitime qu'il soit sur ses gardes avec cette femme, car elle constituait un réel danger pour lui ! En sa présence, il devenait l'esclave de ses pulsions et de ses désirs.

Depuis le jour de l'an, elle l'obsédait de façon anormale, inquiétante. Il ne se reconnaissait plus et ses propres réactions le terrifiaient, lui, l'homme posé et réfléchi, qui n'agissait jamais sans peser mûrement les conséquences de ses actes. Son mariage avec Marianne lui avait servi de leçon, et ce n'était pas cette petite Tracy qui allait remettre en cause sa ligne de conduite !

D'ailleurs, il la connaissait si peu… Il avait d'abord cru qu'elle avait usé de ses charmes pour séduire un vieux schnock fortuné qu'elle pourrait mener par le bout du nez. Néanmoins, si elle gravitait dans le cercle social de sa tante, il y avait de fortes chances qu'elle soit issue d'un milieu aisé et que, par conséquent, ce ne soit pas une opportuniste.

Ce qui le conduisait à la terrible conclusion qu'elle allait épouser son fiancé par amour ! Et que ce dernier devait être un amoureux transi qui s'était saigné à blanc pour lui offrir ce diamant. Bon, bien sûr, le baiser torride qu'ils avaient échangé cet après-midi prêtait une certaine incohérence à ces déductions… Mais il se pouvait fort bien que lui-même l'attire juste sur le plan physique, sans que cela remette en cause les sentiments qu'elle éprouvait envers son fiancé.

Finalement, la pensée que Tracy soit amoureuse de cet homme lui était encore plus pénible que de songer qu'elle l'épousait par intérêt !

Mais que connaissait-il à l'amour, au fond ? Il prit soudain conscience que c'était une notion qui l'effrayait. Quand il avait épousé Marianne, il avait cru l'aimer, mais il l'avait oubliée si facilement, après leur divorce, qu'il devait admettre qu'il n'avait certainement jamais ressenti d'amour envers elle. Du moins de véritable amour, celui qui vous possède, qui vous enchante.

Etait-ce un sentiment de cette nature que Tracy éprouvait envers l'homme qu'elle allait épouser ? Non, impossible ! se dit-il. Quand on était follement amoureuse, on ne venait pas s'enterrer dans le Wyoming pour réfléchir à son mariage, on n'embrassait pas à pleine bouche un quasi-inconnu… On n'était pas prête à aller encore plus loin avec lui.

Ses propres pensées l'irritaient. Où tout cela allait-il le mener ? Probablement nulle part.

Pourtant, un besoin irrationnel le poussait à en apprendre davantage sur Tracy, à la tenir encore dans ses bras, de façon bien plus intime, même s'il savait, que bientôt, c'était à un autre qu'elle allait dire oui.

Qui sait si d'ici là il ne pourrait pas la faire changer d'avis ? se dit-il soudain, en proie à un fol espoir.

Car, quoi qu'elle en dise, il la troublait. Il revoyait la confusion mêlée de frustration qui s'était peinte sur ses traits lorsqu'il lui avait demandé, sur un ton provocateur, si cela modifierait ses projets de savoir qu'il rêvait à elle toutes les nuits. Sous-entendant que ce n'était pas le cas !

Il avait honte d'avoir dit cela, étant donné qu'il rêvait effectivement d'elle toutes les nuits. Des rêves érotiques dans lesquels il lui faisait passionnément l'amour… Seulement, il ne savait pas dans quel registre s'inscrivait cet amour. Physique ou romantique ? Peut-être était-ce simplement Mère nature qui leur jouait une bonne farce, à tous les deux, et qu'une fois leur désir assouvi, ils se détourneraient l'un de l'autre. Peut-être que oui. Mais peut-être que non…

Et c'était ce champ du possible qui l'angoissait et le grisait à la fois. Pourquoi ne pas l'explorer, puisque Tracy n'avait pas encore prononcé ses vœux ?

A cette pensée, une lueur diabolique dansa dans les yeux de Garrett. Et s'il allait au chalet présenter ses excuses à Tracy ? Bon alibi, non ? Il lui offrirait alors d'enterrer la hache de guerre…

Il pourrait apporter une bonne bouteille de vin pour sceller leur pacte de paix. Oui, très bonne idée. La belle Tracy n'étant pas insensible aux plaisirs gustatifs, ils la savoureraient en tête à tête, à la lueur des chandeliers.

Soudain, présenter ses excuses à cette femme s'imposa à lui comme un impératif et non un simulacre. Il était réellement curieux de voir sa réaction, et qui sait si leur réconciliation ne les entraînerait pas là où il aurait tellement aimé aller, cet après-midi, si ce maudit diamant ne les avait pas rappelés à l'ordre…

C'était décidé, il allait lui rendre visite ! Histoire de créer quelques interférences entre Tracy Riley et ses projets de mariage. Et peut-être aiguiller son destin sur une autre voie… Car la vie vous réservait parfois de drôles de surprises et pouvait, d'une simple chiquenaude, déjouer vos plans les plus savamment conçus.

7.

— J'ai pensé que tes provisions avaient dû s'amenuiser.

Tracy retint de justesse un cri de surprise en voyant la silhouette qui se tenait sur le seuil de sa porte. Garrett Fortune portait un costume de ville, il était rasé de près et arborait un sourire sexy.

Si son séduisant voisin était sur son trente et un, sa tenue à elle indiquait nettement qu'elle n'attendait pas de visite. Mais alors pas du tout ! Elle portait en effet un caleçon en coton blanc et une tunique imprimée dans la même matière, qui lui arrivait à mi-cuisses. Sans oublier ses chaussettes blanches et épaisses, comme celles des joueurs de tennis.

Quelle idée de se vêtir de cette façon ! Une tenue confortable, certes, mais pas des plus sexy. Sans conteste à mille lieux de ces actrices glamour qui reçoivent leur amant dans des négligés de soie fine, au cinéma ! En fait, elle n'avait jamais osé acheter ce genre de lingerie, car elle pensait que le tissu donnait des démangeaisons. Bêtises ! se dit-elle soudain. Dès son retour à Minneapolis, elle remédierait à ce manque dans sa garde-robe.

Puisqu'elle allait se marier, il était temps d'en finir avec ses habitudes d'adolescente. Soudain, elle réalisa que c'était Lyle et non Garrett qui admirerait sa lingerie fine : son enthousiasme retomba alors comme un soufflé !

Et d'ailleurs, que lui prenait-il de penser à des dessous suggestifs en présence de Garrett Fortune ?

— Tracy ?

Son prénom prononcé par cette voix rauque, si masculine, l'arracha à ses étranges méditations.

— Oui ?

Le timbre de sa voix la fit presque sursauter. D'où lui venait ce ton tranquille et assuré, à la Kathleen Turner ?

— Tout va bien ? s'enquit Garrett.

Quelle sollicitude ! Et de la part d'un homme si séduisant, il y avait vraiment de quoi perdre la tête.

— Très bien, merci ! Que fais-tu ici ?

Il brandit alors sous son nez le panier en osier qu'il tenait à la main.

— J'ai apporté un petit pique-nique. J'ai remarqué que tu n'avais pas pris ta voiture de la journée, j'en ai donc conclu que tu n'avais pas fait de courses.

— Il faisait si beau que j'ai voulu profiter du ranch.

— Il pleuvait, objecta-t-il.

Merci pour le rappel ! Elle avait passé le reste de l'après-midi étendue sur son lit, l'imagination enflammée, revivant inlassablement les caresses érotiques qu'ils avaient partagées.

— Je sais, dit-elle, mais j'aime la pluie.

— Oui, commenta-t-il en riant, c'est ce que j'ai cru comprendre.

— En outre, ajouta-t-elle, agacée par son rire lascif, j'ai réellement apporté beaucoup de nourriture et j'ai tout ce qu'il me faut, merci beaucoup.

Ne comprenait-il pas qu'il devait partir, partir au plus vite ? Sinon, qui sait ce qui pourrait arriver entre eux…

Comme pour la contrarier, il demanda :

— Puis-je entrer ?

Elle ouvrit la bouche pour répondre non, mais à la place s'entendit dire :

— Je t'en prie.

Pourtant, elle resta plantée au beau milieu de l'entrée. Il ne s'en formalisa pas et fit un pas dans sa direction. Alors elle recula et libéra le passage. La porte se referma doucement derrière Garrett, et elle eut l'impression qu'il n'y avait plus qu'elle et lui au monde.

La lumière des flammes dans l'âtre et la demi-douzaine de bougies réparties dans le salon permettait de se mouvoir sans risque de se heurter aux meubles. Malheureusement, l'éclairage n'était pas suffisant pour qu'elle se sente tout à fait à l'aise en compagnie de Garrett.

Qu'est-ce qu'il venait faire ici ? Lui apporter de la nourriture ? Elle doutait fort que ce soit l'unique raison de sa visite.

De son côté, en dépit de ses nombreuses provisions, elle devait reconnaître que, depuis son arrivée à *Destination finale,* elle ressentait une étrange insatiabilité. Et, après l'événement follement troublant de cet après-midi, elle soupçonnait Garrett de partager cet inassouvissement.

Pivotant sur ses talons, elle se heurta presque à lui. Quel homme impressionnant ! Elle le trouvait d'autant plus grand qu'elle-même était en chaussettes.

S'approchant alors de la table du salon, il y posa le panier en osier, à côté des reliefs de son dîner.

— Ton verre est vide, je te ressers ? proposa-t-il comme s'ils venaient de dîner tous les deux en tête à tête et que sa question était des plus naturelles.

Sans lui laisser le temps de répondre, il s'empara de la demi-bouteille de vin qui se trouvait sur la table — autant finir celle-ci avant d'ouvrir la sienne, pensa-t-il — et remplit son verre. Puis, il sortit un autre verre de son panier et se servit à son tour. Tournant alors l'étiquette de la bouteille vers la lueur d'une chandelle, il déclara, visiblement impressionné :

— Oh, un Rothschild 1989 ! Fine connaisseuse, avec ça !

Etait-ce un compliment… ou une provocation ?

— J'ai suivi des cours sur l'art de vivre, rétorqua-t-elle d'un ton vaguement hautain.

— Pardon ? fit-il, incrédule.

— Ça t'étonne, n'est-ce pas ? Insinuerais-tu que ça ne se voit pas ?

— Non, non, pas du tout ! D'ailleurs, maintenant que tu le dis, je comprends mieux, ajouta-t-il en riant.

— Ce genre de cours enseigne également les bonnes manières, répliqua-t-elle sèchement.

— Ce qui nous fournit une bonne transition sur la raison de ma visite, répliqua-t-il sans s'émouvoir de son reproche implicite.

Elle feignit l'indifférence, tandis que, dans sa poitrine, son cœur dansait un mambo endiablé. Avalant une gorgée de vin pour masquer son trouble, elle demanda :

— Et quelle est cette raison ?

— Je suis venu te voir car j'estime te devoir tes excuses.

Des excuses ? C'était bien la dernière chose qu'elle aurait attendue de Garrett Fortune. Il ne semblait pas du tout le genre d'homme à admettre ses erreurs, alors de là à lui présenter des excuses… !

Mais elle n'eut pas le temps de lui livrer ses réflexions, car il reprit, de cette voix basse qui déjà l'avait séduite lors de la Saint-Sylvestre :

— Je suis navré de n'avoir pas été très correct, depuis ton arrivée, ainsi que tu me l'as fait observer. En ce moment, je croule sous le travail, et ça me rend nerveux. Je reconnais que cela ne justifie pas du tout mon comportement… C'est pour cela que je voudrais me faire pardonner. Alors, buvons à notre réconciliation !

A ces mots, son regard se fit plus intense ; il porta son verre à ses lèvres, non sans l'avoir levé dans sa direction.

Ses propos l'avaient désarçonnée. Elle ne savait plus quoi dire.

Evidemment, elle aussi était lasse de leurs disputes, mais pour une raison inexpliquée, cette idée de faire la paix lui paraissait dangereuse.

Car, si elle devenait plus à l'aise avec Garrett, serait-elle encore en mesure de discerner les limites à ne pas franchir ?

— Eh bien, Garrett Fortune, il semblerait que finalement, tu ne sois pas dépourvu de bonnes manières, lui dit-elle après un moment.

— J'apprécie le compliment, répliqua-t-il d'un air narquois.

Elle voulut détourner le regard, mais Garrett l'hypnotisait littéralement. Le jeu d'ombres et de lumières que les flammes créaient sur son visage le rendait plus fascinant, plus mystérieux encore. Comme elle aurait aimé percer à jour ses pensées !

— Quel miracle ai-je donc accompli pour raviver tes bonnes manières ?

Il lui décocha un sourire sensuel et, de nouveau, porta son verre à ses lèvres, puis en but une longue gorgée qu'il avala lentement pour en savourer le bouquet.

Elle avait compris sa tactique ! Dès qu'une question lui déplaisait, il n'y répondait pas. C'était simple, non ? De fait, il passa brusquement à un autre sujet.

— Alors comme ça, tu vas te marier ?

Oh non !

Cette question réveilla immédiatement en elle le pénible souvenir de Lyle, et d'un coup, la magie disparut. Contrairement à Garrett, elle ne maîtrisait pas l'art de l'esquive, aussi répondit-elle sur le ton le plus naturel possible :

— Oui, samedi prochain.

Garrett venait d'avaler une nouvelle gorgée. Sa réponse dut vivement le surprendre, car il s'étrangla avec son vin.

— Samedi prochain ? finit-il par répéter d'une voix éraillée.

— Oui, pourquoi, ça te pose problème ?

Une nouvelle quinte de toux l'assaillit, aussi Tracy s'approcha-t-elle de lui pour lui donner quelques tapes dans le dos et l'aider à reprendre son souffle. Mais quand elle sentit ses muscles puissants sous ses doigts, elle se troubla. Non, décidément, jamais elle ne serait à l'aise avec lui ! Le moindre geste envers Garrett était toujours chargé d'érotisme !

— Cela signifie donc que, lors de la Saint-Sylvestre, tu étais déjà fiancée ?

— Non, je ne l'étais pas encore, dit-elle en détournant les yeux.

— Eh bien ! Il a dû te faire une cour express, mais... efficace !

— Non, même pas, répondit-elle en toute honnêteté.

Il attendit qu'elle étoffe sa réponse, mais comme elle gardait le silence, il demanda :

— Depuis combien de temps connais-tu ce type ?

Quel entêté ! Ne pouvait-il pas changer de sujet ? Mais elle comprit qu'il ne la lâcherait pas tant qu'il n'aurait pas obtenu d'elle les renseignements souhaités. Alors, d'un ton résigné, elle répondit :

— Je l'ai rencontré à une soirée donnée par des amis communs, en novembre dernier.

— Et depuis quand êtes-vous fiancés ?

— Fin janvier.

De nouveau, le silence s'installa.

— C'est bien ce que je disais, une cour express mais efficace, commenta-t-il.

Elle voulut protester, lui dire que Lyle ne lui avait pas fait la cour, que ce mariage était arrangé, une sorte de contrat commercial. Mais ses lèvres restèrent closes. A quoi bon ouvrir la boîte de Pandore, puisqu'elle n'était pas prête à laisser le vent de la révolution souffler sur sa vie ? Elle se contenta de contempler son verre, de crainte que son regard ne la trahisse.

— Tu dois être très amoureuse de lui…

Tracy ne répondit pas.

— Il doit vraiment avoir quelque chose de spécial, cet homme !

Toujours le même silence radio.

— J'espère au moins qu'il apprécie sa chance.

— Oui, je pense, rétorqua-t-elle dans un triste sourire. Enfin, à sa façon.

— Est-ce que je le connais ? reprit-il au bout de quelques secondes.

Elle soupira profondément, puis finit par lever vers lui ses grands yeux vert clair. Dans les siens, elle put alors lire son trouble, sa colère et… et un autre sentiment qu'elle préféra ignorer.

— Je suppose que oui, dit-elle. Il semblerait que tout Minneapolis le connaisse.

Seigneur, était-ce donc si compliqué de prononcer le nom de Lyle ? Et Garrett qui continuait de la scruter sans complaisance ! Il voulait la rendre folle ou quoi ? Se ressaisissant, elle finit par dire :

— Il s'agit de Lyle Norton.

A son expression, elle devina que c'était bien le dernier des hommes à qui il aurait pensé. D'une voix pour le moins sceptique, il répéta :

— Lyle Norton ? Vraiment ?

— Cela te paraît-il tellement incroyable ?

— Non, non. C'est juste que…

— Que quoi ? demanda-t-elle d'un ton impératif.

— Oh ! non, rien. J'ai rencontré Lyle à plusieurs reprises, déclara-t-il soudain d'un ton plus assuré, comme s'il s'était enfin remis du choc de cette révélation.

— Et quelle impression t'a-t-il faite ?

— Mon impression ? dit-il en écho, cherchant visiblement à gagner du temps. Euh, je ne sais pas… C'est un type bien, j'imagine, peut-être un peu trop accaparé par son travail.

— Oui, c'est un euphémisme.

— Pas mal de sa personne.

— Oui, oui.

— Intelligent.

— Très.

— Ambitieux.

— Extrêmement.

— Riche.

— Indéniablement.

— Jeune.

Etrangement, Garrett prononça ce mot comme s'il s'agissait d'un chef d'accusation. Comme si l'âge de Lyle faisait de lui un tueur en série.

— Il a vingt-six ans, trois ans de plus que moi, précisa Tracy, soudain irritée. Bon, que veux-tu savoir de plus ?

— Oh, moi ? Rien !

— Ecoute, je vais épouser Lyle Norton, mais bon, on ne va pas épiloguer là-dessus toute la nuit !

— Il est clair que tu n'en as aucune envie, répondit-il sèchement.

— Que veux-tu dire ?

— Juste que je trouve curieux que tu viennes te cacher dans le Wyoming quelques jours avant ton mariage.

— Qui parle de se cacher ?

— Ce chalet est un refuge, où Kate envoie ses amies qui ont envie de se cacher du reste du monde. Pourquoi ferais-tu exception à la règle ? lui asséna-t-il froidement.

— C'est… c'est ridicule ! Et pourquoi voudrais-je me cacher ?

— Bonne question ! Tu connais la réponse ?

— Je me moque de la réponse puisque je ne suis pas venue ici pour me cacher. Je suis en vacances, c'est tout. C'est épuisant de préparer un mariage.

— Vraiment ? Si c'était toi qui te chargeais des préparatifs, je ne pense pas que tu aurais le temps de prendre des vacances. Et puis, en général, enfin, corrige-moi si je me trompe, on part après le mariage et non avant. La lune de miel, c'est bien des vacances, non ? Pour les deux époux, précisa-t-il.

Dans son emportement, Garrett s'était imperceptiblement rapproché d'elle. Sa proximité devenait intolérable… Par prudence, Tracy s'éloigna de lui et s'assit sur le canapé.

— Lyle et moi ne partirons pas en voyage de noces, lui apprit-elle alors.

Suivant son exemple, il prit place lui aussi sur le sofa, à l'autre extrémité. Instinctivement, elle se recroquevilla dans son coin, jambes repliées sous elle, tandis qu'il prenait ses aises. Il étendit bientôt le bras sur le dossier.

Comme il s'agissait d'un canapé à deux places, Garrett se retrouvait de nouveau tout près d'elle. Si près qu'il pouvait la toucher sans faire le moindre effort.

Et manifestement, telle était son intention, puisque tout à coup, elle sentit ses doigts effleurer son épaule et courir le long de la couture de sa tunique.

— Pourquoi ne partez-vous pas en lune de miel ?

A ce moment-là, sa tunique glissa un peu sur son épaule, révélant largement sa peau dorée au regard de Garrett. Elle resta figée. L'avait-il fait exprès ? Après tout, peut-être ne l'avait-il pas remarqué, puisque son regard paraissait aimanté par les siens ?

Tout faux ! Elle sentit soudain ses doigts adroits remettre la tunique en place. Le furtif contact de sa peau sur la sienne l'émoustilla de façon presque indécente. Pourquoi ne lui ordonnait-elle pas de cesser ce petit jeu ?

Tout simplement parce que ce petit jeu lui plaisait !

Bah, après tout, quelques caresses n'avaient jamais tué personne ! Et puis ils ne faisaient rien de mal ! Au contraire, la sensation qu'il lui procurait était si exquise… De quoi parlaient-ils, déjà ? Ah oui ! La lune de miel. Voilà qui allait refroidir les ardeurs qu'elle sentait monter en elle.

— Lyle…

Elle s'éclaircit la voix, comme si quelque chose lui était resté en travers de la gorge.

— Lyle, reprit-elle, n'avait pas de place pour notre lune de miel dans son emploi du temps. Il doit repartir pour un voyage professionnel juste après notre mariage.

— Quoi ? Le lendemain ?

— Oui, c'est un homme d'affaires, tu sais. D'ailleurs, il ne revient à Minneapolis que la veille du mariage.

Les doigts de Garrett, qui pianotaient délicieusement sur sa nuque, s'aventurèrent soudain juste au-dessus de l'arrondi de son décolleté…

— Ce n'est pas très gentil de sa part.

— Son travail requiert tout son temps, répondit-elle, comme si de rien n'était.

De nouveau, sa main remonta vers son épaule… Ne voyait-il pas qu'elle était dans tous ses états ?

— Cet homme doit être affreusement occupé pour abandonner une femme aussi adorable que toi le lendemain de ses noces.

— Dois-je le prendre comme un compliment ?

— Un compliment de ma part te paraît-il si incongru ? demanda-t-il alors d'un ton enjôleur. Il y a en toi beaucoup de choses à louer…

— Serais-tu en train de flirter avec moi ? demanda-t-elle tout à trac.

Il lui adressa son plus beau sourire de séducteur, puis de nouveau caressa sa nuque, son décolleté… Le bout de ses doigts glissa sous sa tunique.

— Flirter ? Depuis cet après-midi, nous avons dépassé ce stade, non ?

— Je ne vois pas ce que nous avons fait de si extraordinaire, cet après-midi, qui te permette d'affirmer une chose pareille.

Sa main s'introduisit plus loin sous l'étoffe, lentement, jusqu'à ce qu'il atteigne la vallée mystérieuse qui séparait ses seins.

Le souffle suspendu, elle soutint son regard de braise, de plus en plus proche d'elle. Puis elle baissa les yeux vers la bouche entrouverte de Garrett. Qui s'arrêta à quelques centimètres de la sienne, la livrant à une délicieuse et douloureuse anticipation.

— Ton cœur bat à toute allure, lui dit-il alors de sa voix langoureuse. Pourquoi cogne-t-il si fort, Tracy ?

— A ton avis ? répondit-elle sur le même ton.

A cet instant, il plaqua sa paume à l'endroit de son cœur, sur son sein, ce qui eut pour effet d'accélérer encore la vitesse de ses palpitations.

— Je ne sais pas, dit-il alors.

Mais le sourire qui étirait sa bouche disait le contraire.

— Tu vas te marier à la fin de la semaine, poursuivit-il, et je ne vois pas pourquoi le fait d'être assise là, dans la pénombre, à côté de moi, fait battre ton cœur si vite puisqu'il appartient à quelqu'un d'autre.

A présent, le contact de sa main sur son sein la brûlait presque. Mais elle était incapable de faire le moindre mouvement pour échapper à ce sortilège. Elle était paralysée, son regard enchaîné à celui de son persécuteur.

— Remarque, j'ai peut-être une explication. Et si ton cœur tambourinait si violemment parce que tu as le béguin pour moi ?

Il ne reculait devant aucune audace, pensa-t-elle. Elle répliqua alors :

— Et si c'était parce que tu m'effraies ?

— Les deux raisons ne s'excluent pas. Je dois sûrement te faire davantage d'effet que ton futur mari et c'est pourquoi je t'effraie.

Touché !

Il était plus que temps de rétablir la bonne distance entre Garrett et elle.

Dans un suprême effort de volonté, elle brisa le lien qui soudait leur regard et, s'emparant de son verre de vin, se leva brusquement pour venir prendre place devant la cheminée.

Pour se calmer, elle avala une gorgée de vin, puis une autre, et finalement vida son verre. Elle trouva alors la force de se retourner et déclara :

— Quel que soit l'effet que tu me fais, cela n'a rien à voir avec ce que je ressens pour Lyle.

En un sens, elle ne mentait pas. Les deux hommes lui inspiraient des émotions antinomiques. Inutile d'entrer dans les détails pour déterminer qui lui inspirait quoi.

Jusque-là, Garrett n'avait pas bougé du sofa, il avait simplement tourné la tête dans sa direction. Mais à ces mots, il se leva et la rejoignit, abolissant de nouveau toute distance entre eux.

— Que dois-je comprendre ? Que je ne te fais aucun effet ?

— Non…

— Non quoi ? Non, je ne te fais aucun effet, ou non, ce que je dis n'est pas vrai ?

Elle déglutit péniblement et déclara :

— Non, tu ne me fais aucun effet.

Elle crut qu'elle allait être foudroyée sur place pour avoir proféré un mensonge si énorme. Mais rien ne se produisit. Alors elle s'enhardit à ajouter :

— Je m'étonne simplement de ton incroyable arrogance.

Il ouvrit grand les yeux, feignant la surprise :

— Arrogant, moi ?

— Oui, parfaitement, arrogant ! Comment qualifier autrement un homme qui se croit à ce point irrésistible ?

Il souleva alors le coin de ses lèvres de façon terriblement suggestive et répliqua :

— Mais je suis irrésistible, ma belle.

Elle laissa fuser un rire nerveux.

— Ton imagination te joue des tours.

— Ces lumières que je vois briller dans tes yeux chaque fois que je te regarde, cette roseur qui colore tes joues, ce cœur qui cogne si fort, et j'en passe, tout cela serait donc le fruit de mon imagination ?

— Oui, exactement, dit-elle.

D'un geste décidé, il posa son verre de vin sur le rebord de la cheminée, puis lui retira d'autorité le sien et le mit à côté.

D'une main, il la saisit alors par le menton, tandis que de l'autre il enserrait sa nuque, enfouissant ses doigts dans ses cheveux soyeux.

— Et là, je suis en train d'imaginer que ta peau devient brûlante sous mes doigts ?

— Oui, mentit-elle vainement.

— Et si je t'embrasse, tu vas certainement rester de marbre ?

— Je ne te permets pas de m'embrasser, protesta-t-elle faiblement.

— Je me passerai de ta permission.

Là-dessus, il captura ses lèvres.

8.

Bien qu'il se soit rendu au chalet dans l'unique dessein de faire évoluer la situation entre Tracy et lui, Garrett n'en fut pas moins étonné du tour que prirent les événements.

Il n'avait pas vraiment été surpris que sa démarche débouche sur un baiser. Il se demandait plutôt comment il avait pu refréner ses ardeurs et ne pas prendre Tracy dans ses bras dès qu'elle avait paru sur le seuil.

Il savait également que, de son côté, elle en mourait d'envie. La preuve : elle ne lui avait opposé aucune résistance quand il l'avait étreinte. D'ailleurs, dès que Tracy lui avait ouvert la porte, ce soir-là, il avait reconnu dans ses yeux ce même feu qui le consumait, lui.

En réalité, ce qui l'étonna, ce fut l'intensité de son propre désir. Oui, il désirait Tracy comme jamais il n'avait désiré une femme depuis longtemps. Au point qu'il se demandait même s'il avait déjà éprouvé un sentiment pareil, auparavant.

Il n'en restait pas moins qu'après ces quelques jours passés sur son ranch, Tracy remonterait dans son jet et rejoindrait Minneapolis, où un autre homme l'attendait…

A cette pensée, il détacha ses lèvres des siennes pour contempler son visage et y chercher la réponse à l'insupportable question qui le hantait : pourquoi épousait-elle Lyle Norton ?

Hélas, ce qu'il y lut renforça sa perplexité. Car ses yeux vert émeraude reflétaient uniquement le désir. Un désir irrépressible, à l'image du sien.

Alors, de nouveau, il se pencha vers elle et s'empara de sa bouche, la savoura longuement, désireux d'en prendre totalement possession.

Tracy poussa un petit gémissement et, de ses paumes, palpa le large torse de Garrett avant de remonter vers ses épaules pour s'y agripper.

L'espace d'un court instant, il crut qu'elle allait le rejeter. Cette idée lui étant intolérable, il resserra son étreinte. Puis il comprit qu'elle aussi cherchait à l'attirer plus étroitement à elle. Alors il enlaça sa taille pour faciliter leur « corps à corps ».

Combien de temps restèrent-ils ainsi enlacés, se disputant par jeu le contrôle de leur baiser enflammé ?

Il n'aurait su dire. Quelques secondes ou une éternité, peut-être…

Il avait perdu la notion du temps. Ce qu'il percevait en revanche, c'était le silence de la nuit, uniquement ponctué par le craquement du feu dans l'âtre et le murmure de leur respiration saccadée. Seules les flammes dansantes trouaient la pénombre qui les enveloppait.

Tracy, par sa douceur, sa chaleur, son odeur, avait définitivement pris possession de ses sens.

Et soudain, il comprit qu'il ne pourrait pas se satisfaire d'un baiser — aussi torride et passionné soit-il. Il voulait davantage, bien davantage… Ses caresses devinrent bientôt plus osées, ses mains glissèrent le long des hanches de Tracy, se coulèrent dans le creux de ses reins… Elle ne s'en effaroucha pas, bien au contraire. Elle était toute frémissante sous ses doigts.

Alors il continua sa progression et atteignit bientôt les courbes pleines de ses fesses. Incapable de se maîtriser, il les caressa dans un mouvement doux et langoureux. Puis, il la souleva du sol et la plaqua contre lui avec une possessivité ardente.

Surprise de l'initiative, Tracy enfouit plus profondément ses doigts dans les cheveux de son compagnon, puis enroula ses jambes autour de sa taille.

Ce fut au tour de Garrett de pousser un léger grognement face à son exquis abandon. De ses lèvres, il traça un sillon brûlant le long de son cou gracile, puis promptement, en quelques pas, couvrit la distance qui les séparait du canapé. Avec précaution, il se pencha en avant et déposa Tracy sur les coussins. Il s'allongea ensuite sur elle, glissant ses cuisses entre les siennes, comme il l'avait fait cet après-midi, dans le champ de trèfles.

De nouveau, les jambes de sa compagne enserrèrent ses hanches. Mmm, quelle sensation grisante ! Avide d'autres baisers, il captura sa bouche et, paupières closes, s'enivra longuement de sa saveur exquise.

Cette merveilleuse déesse avait le goût de la passion, du rêve et de la volupté. Son corps se pressait contre le sien comme s'ils étaient les deux parties d'un tout qui se retrouvaient enfin. Il sentait la danse de ses doigts fins dans son dos…

Soudain, il eut envie de caresser sa peau et non plus sa tunique.

D'un geste habile, il remonta l'habit jusque sur ses hanches, puis encore un peu plus haut, jusqu'à dénuder sa poitrine. Alors, de sa large paume, il recouvrit l'un des trésors qu'il avait mis à jour. Quelle douceur, quelle fermeté ! Sur une impulsion, il pencha la tête pour déguster le bourgeon couleur framboise qui s'offrait à lui…

Lorsque sa langue rencontra la pointe de son sein, Tracy poussa un cri et se cambra, tandis que, de ses doigts, elle lui labourait le dos. Elle était si sensible à ses caresses, si réceptive… ! Comme si jamais la main d'un homme ne s'était posée sur sa chair.

Rejetant cette pensée étrange, il se mit à taquiner le petit bourgeon ferme et dur, à le presser entre ses lèvres, l'engloutir dans sa bouche, le libérer et recommencer. Soudain, il prit conscience de l'immobilité de Tracy… redoutait-elle qu'il cesse ce petit jeu érotique ? se demanda-t-il.

Qu'elle se rassure ! Ils avaient toute la nuit devant eux, il allait prendre tout son temps…

Sa poitrine était généreuse, et si ferme sous ses caresses, avec ses pointes durcies. La respiration de Tracy devenait de plus en plus saccadée, comme si le reste de son corps réclamait lui aussi son attention.

Alors, sans cesser son jeu de langue, il fit glisser sa main le long de son buste et dénoua le cordon de son survêtement, avant de poursuivre sa course sous le tissu. Sans hésitation, il caressa la chair brûlante de son bas-ventre, souleva l'élastique de sa culotte.

De nouveau, Tracy se figea sous sa caresse. Un léger gémissement lui échappa lorsqu'il s'aventura dans les replis humides et palpitants de sa chair…

Comme il poursuivait son exploration, elle se cambra subitement et poussa un premier cri de plaisir, tandis que les secousses de la volupté gagnaient son corps. Il recouvrit alors sa bouche de la sienne, pour capturer ses cris, leur offrir l'écho de son propre corps.

Puis Tracy redevint silencieuse, son cœur tambourinant à cent à l'heure contre sa poitrine. Des pointes de feu la transperçaient aux endroits où étaient posées les mains de Garrett. Un courant de passion les unissait, ils osaient à peine respirer.

Au bout d'un moment, Garrett pensa que Tracy allait le prendre par la main et le conduire dans sa chambre.

Malheureusement, ses espoirs, ses illusions s'écroulèrent de manière cruelle.

Contre toute attente, elle lui donna un bref baiser et, se dégageant de son étreinte, commença à rajuster ses vêtements. Ensuite, sans rien dire, sous les yeux abasourdis de Garrett, elle se leva et vint se placer devant la cheminée.

A présent, elle lui tournait le dos, offrant son visage à la chaleur des flammes. Bien qu'elle ne l'y ait pas invité, Garrett la rejoignit. Enserrant sa nuque, il attira sa joue contre la sienne. Après tout, si elle avait envie de méditer un peu, pourquoi pas ?

Elle ne chercha pas à se dégager de son étreinte, mais déclara d'une voix faible, à peine audible :

— Nous n'aurions jamais dû faire ça.

Peut-être disait-elle vrai. Il n'était pas loin de penser la même chose, même s'ils n'avaient encore rien fait de bien déterminant. En revanche, il était certain qu'ils n'étaient pas arrivés à la même conclusion pour les mêmes raisons.

Pour lui, si regret il devait y avoir, c'était parce qu'il s'était juré de ne plus laisser ses sentiments le mener par le bout du nez. Il savait à quel point c'était coûteux, par la suite. Quant à ses raisons à elle, il était curieux de les entendre.

— Pourquoi ? demanda-t-il alors.

— Tu sais pourquoi, répliqua-t-elle avec une douceur résignée.

— Rappelle-le-moi, dit-il, même s'il n'avait nulle envie de l'entendre reformuler ce qu'il ne savait que trop bien.

— Parce que je vais me marier, Garrett.

En dépit de ce ton chancelant, cette phrase fit chavirer le cœur de Garrett.

— Vraiment ? demanda-t-il en s'écartant d'elle. Tu vas vraiment te marier ?

Plongeant un regard d'une tristesse infinie dans le sien, elle répondit :

— Oui… A moins que tu me donnes une bonne raison de ne pas le faire.

108

En fait, elle semblait le supplier de lui ordonner de ne pas se marier avec Lyle, de tout annuler. De lui avouer qu'il la désirait plus que tout au monde et qu'il l'aimait de toutes ses forces.

Mais Garrett ne pouvait se déclarer si rapidement. Il redoutait ses propres sentiments. Depuis sa malheureuse expérience avec Marianne, il se sentait incapable d'établir une relation durable avec une femme.

Soudain, il s'entendit demander :

— Est-ce que tu aimes Lyle Norton ?

Elle déglutit avec difficulté, puis secoua lentement la tête, en signe de dénégation. Sans le regarder.

— Pardon ? Je n'ai pas entendu !

— Non, je ne l'aime pas, lui avoua-t-il en relevant le menton.

A ces mots, une vague de satisfaction le parcourut, mais sans en laisser rien paraître, il reprit son interrogatoire :

— Dans ces conditions, pourquoi l'épouses-tu ?

Elle hésita et finit par répondre :

— Je n'ai pas le choix.

— Pourquoi ? Es-tu enceinte ?

Sa question la fit légèrement sourire.

— Non, je ne suis pas enceinte, répondit-elle.

— Mais alors, pourquoi ?

— Il… Je…

Elle soupira pitoyablement et répondit :

— C'est un peu compliqué.

— Dis-moi juste, en toute honnêteté, ce qui te pousse à l'épouser.

— D'accord… Je…

Mais elle ne parvenait pas à s'expliquer.

— Tu l'épouses pour son argent ? demanda-t-il en se saisissant de son poignet.

A ces mots, le beau visage de Tracy s'assombrit. Il avait mis le doigt sur le point sensible.

— Qu'est-ce qui te fait penser ça ?

— Réponds à ma question, veux-tu ? Epouses-tu Lyle Norton par intérêt ?

Un silence tendu s'installa entre eux et elle finit par répondre :

— Pas de la façon dont tu l'imagines.

— Ce qui veut bel et bien dire que tu l'épouses pour son argent, conclut-il sèchement.

Il sentit un goût amer sur sa langue en prononçant ces mots, même si depuis le début, il se doutait de la triste vérité.

— Ce n'est pas ce que tu penses, je t'assure, répéta-t-il. C'est bien plus compliqué que ça n'y paraît, c'est…

— Non, dit-il en l'interrompant, ne te donne pas cette peine, ne te justifie pas !

— Mais…

— Non, Tracy, lui redit-il, tu m'as déjà tout dit.

Tracy Riley était exactement le genre de femme qu'il avait redouté qu'elle soit. Exactement le genre de femme qu'il s'était promis d'éviter, depuis son échec avec Marianne. Une femme qui choisissait ses amants en fonction de leur compte en banque.

— Dans ces conditions, reprit-il, je ne peux pas te donner une seule bonne raison de ne pas te marier. A moins que tu ne sois pas certaine de tes choix.

Elle le regarda d'un air peiné et, durant un bref instant, il regretta presque ses propos. D'une brève secousse, elle libéra son poignet, recula de quelques pas et lui tourna le dos.

Il sentit alors monter en lui un terrible désir de la consoler, de la prendre dans ses bras et de lui promettre tout ce qu'elle voudrait, si elle consentait de nouveau à l'embrasser. Il parvint néanmoins à résister à son impulsion.

110

— Je suis certaine de mes choix, merci, répondit-elle. Je sais exactement ce que je dois faire. C'est pourquoi ce qui vient de se passer entre nous ne peut et ne doit pas se reproduire.

— Justement, après ce qui vient d'arriver, tu es réellement certaine du bien-fondé de tes choix ?

Elle acquiesça de la tête.

— Tu as toujours l'intention d'épouser Lyle ? insista-t-il.

— Oui.

Eh bien, qu'elle épouse Lyle Norton si elle en avait envie ! Qu'est-ce que ça pouvait bien lui faire à lui, hein ? De toute façon, il n'avait rien à lui offrir.

Après tout, ils formaient un couple bien assorti, Lyle Norton étant notoirement âpre au gain et un homme éminemment superficiel. Tout était dans l'ordre des choses. Pourquoi se sentirait-il floué ? Il n'y avait aucune raison, vraiment.

Hélas, tel était pourtant bel et bien son sentiment ! Il se sentait trahi, abandonné. Il devait partir sur-le-champ, tant qu'il possédait encore un semblant de raison. Pourtant, il restait cloué sur place.

— Tracy… Tracy, retourne-toi ! Regarde-moi, lui ordonna-t-il subitement.

A sa grande surprise, elle lui obéit.

Quand elle lui présenta son visage, attendant qu'il poursuive, Garrett se sentit extrêmement ému… Il se rappela sa passion quand il l'embrassait, sa peau frémissante sous ses doigts.

— Dis-moi juste une chose, Tracy : avec ton fiancé, c'est aussi bien qu'entre nous ?

Elle lui lança un regard désespéré et répondit :

— Je t'en prie, Garrett, ne me demande pas une chose pareille. Oublie ce qui s'est passé.

— Je veux savoir.

— Ça ne te regarde pas.

— Au contraire, je crois que tu me dois des explications.

Ils se jaugèrent en silence et elle finit par comprendre qu'il ne la lâcherait pas tant qu'il n'aurait pas obtenu de réponse. Passant une main nerveuse dans ses cheveux, elle lui dit alors en soupirant :

— Puisque tu tiens à le savoir, ce qui s'est passé entre nous n'est pas comparable à ma relation avec Lyle.

Il s'efforça de demeurer imperturbable lorsqu'elle prononça ce détestable prénom. Il ne broncha pas, attendant la suite.

— L'attirance que nous ressentons l'un pour l'autre est un désir d'ordre purement physique… Rien de plus. C'est pourquoi je ne peux pas la comparer à ce que j'éprouve pour Lyle. Avec lui, ça n'a rien de physique.

Un muscle de sa mâchoire tressauta avant qu'il réponde :

— Oui, avec lui, c'est l'aspect financier qui rend les choses si confortables, n'est-ce pas ?

— Avec lui, je partage une chose bien plus importante qu'une attirance instinctive, rétorqua-t-elle, blessée.

— Qu'est-ce qu'il peut bien y avoir de plus important que l'attirance instinctive ? lança-t-il en la regardant fixement.

— Tout ça n'est qu'un jeu pour toi, Garrett, n'est-ce pas ? repartit-elle tristement. Ce qui s'est passé entre nous, qu'est-ce que ça représente pour toi ? Pas grand-chose, j'imagine. Tu es habitué à ce genre de flirt, ça ne va pas bouleverser ta vie.

— Effectivement, mentit-il.

— Merci de le reconnaître, déclara-t-elle. Moi, j'ai besoin d'autre chose que d'une relation fondée sur un désir physique. Quoi qu'il puisse y avoir entre toi et moi, ça ne suffirait pas.

— Tracy, dit-il alors en sourcillant, si tu m'en avais laissé le temps, je t'aurais offert bien plus de choses, et crois-moi, tu n'aurais pas été déçue.

A ces mots, une chaleur insidieuse la submergea. Mais ce fut avec mélancolie qu'elle répondit :

— Garrett, je t'en prie, arrête…

— Tu crois que tu peux oublier les baisers, les caresses que nous venons d'échanger — simplement parce que tu l'as décidé ?

— Je ne sais pas, répondit-elle d'un ton soudain las et morose, mais j'ai toute une vie pour les oublier avec quelqu'un d'autre.

Soudain, il sentit son âme vaciller. Elle venait de lui rappeler une vérité terrifiante. Il pivota sur ses talons.

En passant devant la table basse où, à son arrivée, il avait posé le panier d'osier, il avisa la bouteille de vin qu'il avait apportée mais qu'il n'avait pas ouverte.

— Je crois que c'est d'un alcool plus fort dont je vais avoir besoin, ce soir, déclara-t-il à voix haute, alors qu'il était manifeste que ses propos ne s'adressaient qu'à lui-même.

Là-dessus, il sortit en faisant violemment claquer la porte derrière lui. Tracy n'en fut pas surprise.

113

9.

L'après-midi suivant, alors que Tracy aurait dû faire ses bagages et préparer activement son retour à Minneapolis, elle sirotait un thé aux fruits rouges, appuyée avec nonchalance contre le comptoir de la cuisine, au chalet.

Allons, se disait-elle, un peu de nerfs ! Elle devait rentrer chez elle. Revenir sur terre et à la réalité, c'est-à-dire son mariage avec Lyle. Son père comptait sur elle.

Mais elle ne parvenait pas à s'activer. Les yeux perdus dans le vague, sa tasse à la main, elle fixait le paysage par les immenses baies vitrées. Elle n'avait aucune envie de rentrer !

Impossible de partir ainsi, en laissant Garrett penser ces choses horribles sur elle. Pas avant d'avoir compris ce qui s'était passé entre eux, le soir précédent. Et pas tant que subsisterait en elle l'espoir ténu, infinitésimal que quelque chose d'authentique et de merveilleux pourrait jaillir de cette relation.

De temps à autre, elle était étreinte par la terrible impression de s'être ridiculisée, la veille, dans les bras de Garrett. Elle tentait alors de repousser aux confins de sa mémoire cette scène incongrue.

Mais, dans la minute qui suivait, elle se remettait à penser à leurs baisers, leurs caresses, aux mots qu'ils s'étaient murmurés… Jamais elle ne se serait cru capable d'une telle réaction. Elle avait totalement perdu le contrôle de la situation, avait laissé libre cours à ses instincts sans évaluer les conséquences de ses actes.

Les sentiments avaient pris le pas sur la réflexion. Ce qui n'était vraiment pas malin de sa part avec un homme de la trempe de Garrett Fortune ! Bien sûr, il n'existait pas de mots pour décrire la merveilleuse sensation qu'elle avait ressentie dans ses bras. C'était une sensation inconnue, qu'elle était certaine de ne jamais retrouver avec un autre…

Ah, tout cela ne menait à rien ! se dit-elle brusquement en secouant la tête.

Garrett était à mille lieux de comprendre une notion comme le devoir. En tout cas, il ne percevait pas la véritable raison de son mariage. Et pour lui l'amour se résumait à la satisfaction physique.

L'amour… ? Ce n'était pas du tout le moment de penser à l'amour ! D'ailleurs, ce n'était pas le sentiment qui l'animait. Pas maintenant, pas envers Garrett…

Si elle agissait souvent sur des impulsions, elle ne commettait pas d'impairs pour autant. Ainsi, son mariage avec Lyle Norton reposait davantage sur un acte impulsif que réfléchi. Evidemment, elle avait considéré sous tous ses aspects cette union qui lui répugnait, mais elle avait pris sa décision en fonction de ce que lui dictait ses sentiments — à savoir qu'il lui était impossible de ne pas aider son père.

En règle générale, elle suivait la voix de son cœur avec peu d'inquiétude. Parce que jusqu'à présent, elle ne l'avait pas conduite dans des impasses.

Mais avec Garrett, les données étaient différentes.

Elle poussa un profond soupir. Oui, lui, il faisait régner une véritable tempête en elle, mettant sérieusement sa raison à l'épreuve.

Son instinct lui soufflait de poursuivre la relation engagée avec Garrett, tandis que sa raison tentait de l'en dissuader. En d'autres termes, son cœur lui donnait le feu vert alors que sa tête l'enjoignait de s'arrêter. Elle se trouvait à l'intersection de ces deux forces contradictoires, paralysée par son indécision.

Lors de leur première rencontre, Garrett avait affiché clairement son mépris pour le mariage. Il est vrai qu'avec ce que Kelly lui avait dit sur son ex-femme, elle comprenait son point de vue. Découvrir que Marianne l'avait épousé par intérêt avait été un premier choc, la surprendre ensuite dans les bras de son amant, un deuxième — et certainement des plus traumatisants.

La douleur de la trahison devait être terrible, pensa-t-elle.

D'ailleurs, elle avait l'impression d'en avoir eu un avant-goût, hier soir. Quelle déception de constater qu'il la croyait capable de cupidité !

Pourtant, elle ne pouvait pas lui en vouloir de mal la juger. Oui, il était difficile de reprocher quoi que ce soit à cet homme si sexy. La grisante effervescence que lui avaient procurée les caresses intimes, expertes de Garrett, effaçait tout le reste. En sa présence, elle éprouvait la troublante sensation que tout était dans l'ordre des choses.

Voilà qui ne l'aidait nullement à faire preuve d'objectivité. Garrett était un séducteur… quelle femme n'aurait pas été sensible à son charme viril ?

Pourtant, en dépit de toutes les conquêtes passées et futures qu'elle lui supposait, il lui paraissait extrêmement vulnérable. Comme s'il menait une quête perpétuelle et n'avait pas encore trouvé ce qu'il recherchait. Et craignait de ne jamais le trouver ! Et si ce qu'il poursuivait comme une chimère se trouvait à portée de sa main ?

Irritée par ses propres pensées et son incapacité à expliquer d'une part la scène de la veille, d'autre part la nature des sentiments qui les unissait, elle recentra ses réflexions sur Lyle et ce mariage imposé. Oui, imposé, elle n'hésitait plus à employer ce terme. Maintenant qu'elle avait goûté à la volupté avec Garrett, son mariage lui faisait l'effet d'un calvaire à venir.

Désormais, elle connaissait la saveur de la passion. Elle se demandait encore où elle avait puisé la force de le repousser quand tout son corps le réclamait avec urgence.

A ce souvenir, son pouls s'accéléra…

Jusqu'à la nuit dernière, elle ignorait l'intensité du plaisir charnel — même si Garrett ne l'avait pas possédée au sens strict du terme. En tout état de cause, elle lui était reconnaissante de l'avoir éveillée à ces sensations extraordinaires, car avec Lyle Norton, elle ne les connaîtrait sans doute jamais.

Hélas, elle savait aussi que cette expérience retirait toutes ses chances à Lyle de conquérir un jour son cœur. Quand elle partagerait son lit avec lui, ce serait à Garrett et uniquement à ce dernier qu'elle penserait. Et elle se demanderait toujours ce qu'elle aurait ressenti si elle avait réellement fait l'amour avec lui.

Et si…

Non, c'était impensable ! Elle rejeta l'idée avant même qu'elle ne prenne forme dans son esprit.

Non, elle ne pouvait, ne devait pas ! Faire l'amour avec Garrett constituerait un manquement à son éthique, et qui plus est, un acte qui bouleverserait totalement son existence. Allons, elle était fiancée à un autre homme ! Et même si elle n'avait jamais couché avec Lyle, se donner à Garrett, ne serait-ce qu'une seule fois, reviendrait à trahir son futur mari.

Et puis, qu'est-ce que cela lui apporterait de plus ?

Non, se redit-elle d'un ton déterminé. Elle allait se marier avec Lyle. Et, comme pour en avoir une preuve tangible, elle leva la main gauche vers la fenêtre. Sous la lumière du soleil, son diamant éclata de mille feux.

Elle ne pouvait nier que le bijou était splendide… mais il lui donnait la nausée ! Soudain, sans même se rendre compte de son geste, elle retira la pierre, et la posa sur le comptoir de la cuisine.

A cet instant, elle se sentit délivrée d'un énorme fardeau, et de nouveau, l'idée de faire l'amour avec Garrett germa dans son esprit. Par réflexe, elle voulut la chasser… puis envisagea soudain la situation sous un angle nouveau.

Elle se demanda brusquement s'il ne serait pas pire de passer le restant de ses jours avec un homme qu'elle n'aimait pas, ignorant ce qu'on éprouvait réellement lorsque l'on s'unissait à un être aimé.

Fermant les yeux, elle tenta de repousser la voix de la tentation, de la trahison. Elle n'était pas certaine d'aimer réellement Garrett, mais elle savait sans l'ombre d'une hésitation qu'elle le désirait. Pourquoi ne pas tenter sa chance, et voir où la mènerait cette histoire ? Pourquoi s'obstiner à fuir ce qui était peut-être son bonheur ?

Et son père alors ? Et Riley Communications ?

Elle soupira. Et elle, alors, dans tout ça ?

Pourquoi ne pensait-elle pas à son propre bonheur ? Après tout, si elle était prête à se marier avec Lyle Norton pour le salut de sa famille, elle pouvait bien, en échange de ce sacrifice, coucher avec Garrett juste une fois ! Oui, elle pouvait se permettre un petit écart en guise de compensation.

De nouveau, elle jeta un coup d'œil au diamant, sur le comptoir. Ah ! N'était-il pas préférable de décamper sur l'heure, sans même attendre le lendemain ? L'image de Garrett dansa devant ses yeux, puis celle de Lyle. Elle repensa à ce qui l'attendait pour le reste de sa vie.

Elle sut alors de façon définitive qu'elle ne partirait pas aujourd'hui.

— Quoi ? Sandra est morte ?

Les doigts de Garrett se resserrèrent sur le combiné, tandis qu'il se laissait choir dans un fauteuil.

— Et tu attends la fin de notre conversation pour me l'annoncer ? poursuivit-il outré. Comment est-elle morte ? Quand ?

A l'autre bout du fil, son frère cadet, Jack, poussa un soupir.

— Excuse-moi, je ne parvenais pas à te le dire. Ce n'est pas le genre de nouvelle qu'on annonce facilement. Son petit ami et elle ont trouvé la mort dans un accident de voiture, hier soir. Je ne connais pas tous les détails, mais j'ai du mal à m'en remettre.

— Je le conçois, Jack ; c'était ta femme, après tout.

— Mon ex-femme, précisa son frère.

— Peut-être, mais elle occupait encore une part importante dans ta vie.

— Elle est surtout la mère de ma fille.

Garrett soupira en pensant à la petite Lilly. Sous le choc de la nouvelle, il en avait oublié son adorable nièce.

— Pauvre Lilly, ne put-il s'empêcher de murmurer.

Jack avait épousé Sandra à l'époque où le mariage de Garrett commençait à battre de l'aile. Pourtant, il n'avait pas mis en garde son frère contre sa fiancée. Au contraire, il la trouvait fort sympathique, et ne la prenait certainement pas pour une chasseuse de dot. Il s'était lourdement trompé. Sandra était pire que Marianne. Pire en ce sens qu'elle avait bien caché son jeu.

Au début, tout semblait merveilleux entre Jack et Sandra. Cette dernière était rapidement tombée enceinte et tout le monde croyait qu'ils filaient le grand amour. Mais, peu après la naissance de l'enfant, ils avaient brutalement divorcé.

Jack avait été déchiré de voir sa fille partir avec sa mère. Il avait alors fait tout ce qui était en son pouvoir pour passer le plus de temps possible avec elle. Quant à Garrett, il était fou de sa nièce, même s'il ne la voyait guère.

— Qui va s'occuper de Lilly ? demanda-t-il.

— C'est moi qui vais en avoir la garde complète. J'en ai fait la demande et il n'y a aucune raison pour qu'on me la refuse. Je suis son père, après tout, même si Sandra a toujours voulu m'évincer de ce rôle.

On le sentait amer. Il avait toujours ressenti une animosité latente envers Sandra. Difficile de l'en blâmer ! Garrett comprenait parfaitement ses sentiments. Dieu sait combien il voulait un enfant avec Marianne. Mais lorsque les choses avaient dégénéré entre eux, il avait remercié le ciel de ne pas en avoir eu. Car la dernière chose au monde qu'il aurait souhaité, c'était d'être lié à Marianne pour la vie.

Pourtant, il avait bien conscience que Lilly était un trésor inestimable.

— Et comment vas-tu t'organiser, une fois qu'elle sera chez toi ? demanda Garrett en essayant de ne pas blesser la susceptibilité de son frère.

— Que veux-tu dire ?

— Simplement qu'il ne doit pas être facile de s'occuper seul d'une enfant de trois ans. D'autant qu'avec ta fonction de vice-président d'une multinationale, tu n'as pas beaucoup de temps libre. Qui s'occupera d'elle durant tes absences ?

— Ecoute, Garrett, je sais tout ça, inutile de me le rappeler. Je vais prendre une nounou, voilà tout.

— Pourquoi ne demandes-tu pas à Amanda de s'occuper d'elle ?

— Amanda ? Tu veux dire Amanda Corbain, mon assistante ?

— Oui, qui d'autre ? Tu vois de qui je parle, n'est-ce pas ? Cette jolie mutine aux yeux noisette avec qui tu passes le plus clair de ton temps, ajouta-t-il non sans une certaine ironie.

— Oh, c'est une drôle d'idée, mais… bon, je vais y réfléchir.

Puis les deux frères continuèrent leur petite conversation, placée désormais sous le signe de la mélancolie.

Lorsqu'il eut raccroché, Garrett s'assit à son bureau pour prendre le temps de digérer la nouvelle. La mort de Sandra le bouleversait, et le fait que Lilly soit devenue orpheline encore plus…

Mon Dieu, que la vie était compliquée ! Et toutes ces mauvaises nouvelles venaient se greffer sur un contexte personnel bien morose.

Il sourcilla.

Il ne pouvait penser à rien sans que Tracy vienne s'immiscer dans son cerveau… Avec lassitude, il embrassa son bureau du regard. Il aimait cette pièce, ses couleurs chaudes, son bois clair, c'était pour lui une sorte de refuge. Tout comme le chalet de Kate, il était lambrissé et fort lumineux, grâce à ses immenses baies…

Soudain, un bruit le fit sursauter.

Ça alors ! Etait-il le jouet d'une hallucination ? Mais non, c'était bien elle, c'était bien Tracy qui entrait dans son bureau sans même avoir pris la peine de frapper. Elle portait un jean délavé, des boots et un long pull vert qui rappelait la couleur de ses yeux. Le vent avait rosi ses joues.

— Que fais-tu ici ? lui demanda-t-il sans préambule.

— Je suis désolée, je ne voulais pas jouer les intruses, commença-t-elle pour se justifier, mais la porte de derrière était ouverte, alors je suis entrée.

— Le vent a dû l'ouvrir, car, de mon côté, je ne suis pas d'humeur très sociable.

— En fait, je suis arrivée au moment où tu téléphonais. Je n'ai pas osé t'interrompre. Au début, j'ai cru que c'était professionnel, mais c'était d'ordre privé, n'est-ce pas ?

Et pour tout dire, la mention d'une « jolie mutine aux yeux noisette » l'avait rendue assez jalouse. Mais elle se garda de faire une scène à Garrett.

— C'était mon frère. Son ex-femme vient de mourir dans un accident de voiture. Le drame s'est produit cette nuit.

— Oh, je suis réellement désolée.

— La vie nous réserve toujours des surprises désagréables. Cette fois, elle laisse une orpheline.

A ces mots, Tracy plaqua sa main sur sa bouche.

— Oh, mon Dieu, c'est horrible ! Quel âge a ta nièce ?

— Trois ans.

Elle poussa un petit cri, visiblement fort affectée.

— Aimes-tu les enfants à ce point ? demanda-t-il, étonné.

— Bien sûr. Comme tout le monde, non ?

— Oui, mais tu sembles réellement ébranlée alors que tu ne connais même pas ma nièce.

— J'ai moi-même perdu ma mère à l'âge de deux ans.

A cette révélation, Garrett sentit son cœur se serrer.

Savoir que Tracy avait subi une perte si terrible alors qu'elle était encore une toute jeune enfant le toucha beaucoup plus durement qu'il ne voulut bien l'admettre.

La douce et belle Tracy avait donc, dès sa tendre enfance, subi ce terrible coup du sort ? Et lui qui croyait qu'elle avait été élevée au sein d'une famille unie et chaleureuse.

— Oh… Je ne savais pas, je suis désolé.

— J'ai très peu de souvenirs d'elle. Il est vrai qu'il n'est pas toujours facile de grandir sans mère. C'est pourquoi j'éprouve une si grande compassion pour ta nièce. Je sais ce qui l'attend. Néanmoins, cette absence a renforcé mes liens avec mon père.

— Tu es très proche de lui ?

A cette question, son visage s'illumina.

— Oh, et comment ! Je ferais tout pour lui et il ferait tout pour moi. Nous sommes entièrement dévoués l'un à l'autre.

Peut-être que Jack et Lilly développeraient les mêmes sentiments, se dit-il alors, avant de déclarer :

— Jack a un métier très accaparant. Il ne pourra pas passer beaucoup de temps avec sa fille.

— Tu sais, mon père était également très pris par son travail. Mais il a toujours réussi à me consacrer du temps. L'amour accomplit des miracles et je suis sûre qu'il en sera de même avec ton frère et ta nièce.

— Oui, peut-être…

Il paraissait si mélancolique qu'elle regretta de s'être introduite dans son bureau.

— Tu veux que je te laisse ?

Soudain, elle avait perdu de vue l'objet de sa visite.

— Non, pourquoi ? Tu viens juste d'arriver.

— Peut-être as-tu besoin d'un peu de solitude.

— Tu sais, je ne connaissais pas très bien Sandra ; mon frère et elle sont restés peu de temps ensemble… A présent, si tu me disais ce qui me vaut l'honneur de ta visite ?

Tracy se rappela qu'elle avait décidé d'être sincère avec lui. Elle voulait éclaircir certains points bien précis…

D'abord, elle voulait lui spécifier qu'elle partait le lendemain.

Ensuite, elle tenait à lui dire qu'il s'était mépris sur les raisons de son mariage et qu'il ne devait pas la juger hâtivement.

Enfin… Enfin, elle allait lui annoncer qu'elle était tombée amoureuse de lui et qu'elle était prête à rester avec lui aussi longtemps qu'il le désirerait, s'il le lui demandait !

Mais, au moment de prendre la parole, une boule lui serra la gorge et elle déclara, histoire de gagner du temps et de se ressaisir :

— Euh… je pense que nous devons parler.

— Parler ? fit-il tandis que son regard s'assombrissait. De quoi ?

Il avait posé sa question sèchement, les yeux rivés au sol.

Elle poussa un soupir d'exaspération.

Pourquoi s'entêtait-il à faire comme si rien ne s'était passé entre eux, hier soir ? Bon, elle n'allait pas commencer à se disputer avec lui. Il leur restait si peu de temps ! Et puis son avenir dépendait de lui.

Tâchant de ne pas se montrer trop sarcastique, elle déclara :

— A ton avis ?

Sur un ton toujours aussi réservé, il dit alors :

— Je ne sais pas moi… De ton mariage ? De la couleur des fleurs que vous avez commandées ? Ton mari voulait des roses blanches, mais toi tu préfères des chardons couleur argent ?

Elle ne releva pas sa provocation.

— Non, ce n'est pas ça ? Alors vous n'êtes pas d'accord sur le choix des morceaux que vont jouer les musiciens ? Lyle veut un groupe de rock'n roll, et toi, un musicien de blues ?

Elle secoua la tête en signe de négation, rongeant son frein.

— Un problème avec les traiteurs, peut-être ?

— Je te rassure ! C'est une cérémonie très simple : il y aura douze convives en tout et pour tout, et aucune extravagance. Mais permets-moi de te dire que tu n'as pas beaucoup de flair.

— Dans ces conditions, éclaire-moi sur le but de ta visite, veux-tu ?

— C'est à propos de l'autre nuit…

— Quoi ? Je crois que le débat est clos, non ?

— Pas du tout, nous ne l'avons même pas ouvert, se récria-t-elle.

— Eh bien, parle, je t'écoute.

Elle l'observa longuement, en silence.

Elle voulait lui dire qu'elle croyait être amoureuse de lui, et lui demander s'il croyait qu'un jour il l'aimerait en retour. S'il existait le moindre espoir en ce sens, elle annulerait sur-le-champ son mariage avec Lyle ! Son père comprendrait, se dit-elle alors pour se rassurer. Après tout, c'était son bonheur qui était en jeu, non ?

— Tracy ?

Son prénom prononcé par cette belle voix rauque l'arracha à ses rêveries.

— Oui ?

— Pour quelqu'un qui prétend que nous devons parler, tu n'es pas très bavarde.

— Tu as raison. Alors voilà…

124

Mais elle ne savait pas par quel biais aborder le sujet.

Et puis, soudain, il lui sembla ne plus rien avoir à dire. Garrett était si troublant que toutes ses pensées s'emmêlaient et finissaient par s'estomper.

Son parfum évoquait une forêt de séquoias. Sa voix était si suggestive, et il était tellement sexy… ! Quant à ses baisers, ils avaient le goût du paradis. Elle se rappela l'urgence de son désir, la veille. Sa bouche si avide de son corps…

Subitement, elle estima que les mots étaient inutiles et que rien ne remplaçait les actes. D'un air résolu, elle se jeta à son cou.

Il en fut désarçonné, mais elle ne lui laissa pas le temps de réagir. Capturant immédiatement sa bouche, elle lui donna un baiser passionné, un baiser dont Garrett pensa immédiatement qu'il s'en souviendrait longtemps. Il y penserait durant les longues nuits d'hiver, seul dans son lit, quand il se demanderait ce qu'elle était en train de faire avec son mari.

A son tour, il referma ses bras autour de sa taille et l'attira à lui.

D'une main, il étreignit sa nuque, de l'autre sa hanche, sa cuisse… Elle crut défaillir sous l'assaut de la chaleur qui l'envahit. Brusquement, elle détacha sa bouche de la sienne. Surpris, il ne broncha pas. Ce fut alors qu'elle finit par dire :

— Je sais que tu penses que j'épouse Lyle à cause de son argent.

Il voulut répliquer, mais elle plaqua sa main contre sa bouche pour le réduire au silence.

— En un sens, tu as raison. J'ai accepté sa proposition, car financièrement, il est… il est dans une position avantageuse.

Soulevant doucement les doigts de Tracy posés sur sa bouche, il en baisa le bout et voulut prendre la parole.

— Tracy, je…

— Chuuut ! Laisse-moi finir.

— D'accord, mais fais vite. Ensuite, ce sera à toi de m'écouter.

— Très bien. Je n'entrerai pas dans le détail des raisons qui m'ont poussée à accepter ce mariage. Sache seulement que je n'ai pas d'autre choix. Cela ne fait pas de moi une opportuniste. En me mariant avec Lyle Norton, j'accomplis un devoir auquel je ne peux me soustraire. A moins que l'on me donne une bonne raison de ne pas le faire. Est-ce que tu comprends ?

— Non, finit-il par répondre. Navré, je ne comprends pas, cela dépasse mon entendement.

Son regard se posa alors sur la main de Tracy.

— Où est-elle ? demanda-t-il brusquement.

— De quoi parles-tu ?

— De ta bague de fiançailles ! Qu'en as-tu fait ?

— Je l'ai enlevée.

— Pourquoi ?

— Parce que je ne veux pas que l'ombre de Lyle s'immisce entre nous lorsque nous fer…

Elle s'arrêta brusquement, et se mordit la lèvre inférieure, soudain hésitante.

— Lorsque que nous ferons quoi ?

Elle s'efforça d'expirer longuement, lentement… Elle devait parler, maintenant ou jamais. Il fallait mettre cartes sur table. Alors, d'une voix presque tremblante, elle répondit :

— Quand nous ferons l'amour.

Il resta un instant silencieux, ses yeux rivés aux siens, ses mains posées sur ses épaules. Son regard était pénétrant, insondable. Imperceptiblement, il resserra son étreinte, puis enfouit une main dans ses cheveux soyeux.

— Tu ne doutes de rien, constata-t-il d'un ton ironique.

— Après ce qui s'est passé entre nous, non, répondit-elle de la même façon. Si je n'avais pas mis un terme à nos baisers, hier

126

soir, alors c'est ce qui serait arrivé. Nous aurions fait l'amour et tu le sais aussi bien que moi.

— Le fait est que tu as su arrêter les choses à temps.

— Oui, car je n'étais pas certaine de mes sentiments. Je ne comprenais plus rien.

— Et aujourd'hui, subitement, tu comprends mieux, c'est ça ?

— Oui, c'est ça ! approuva-t-elle avec véhémence.

— Eh bien, chérie, tu as une longueur d'avance sur moi. De mon côté, je me sens complètement perdu…

— Fais-moi l'amour, Garrett, lui dit-elle, mue par une force nouvelle, inconnue. Je t'en prie. Juste une fois avant que…

Cette fois, ce fut lui qui posa une main sur sa bouche.

Il ne voulait pas en entendre davantage. De son pouce, il caressa ses lèvres, puis se penchant vers elle, l'embrassa.

Ce fut un baiser extraordinaire, unique. Qui exprimait toute l'incertitude liée à leur couple.

Puis il releva lentement la tête, rouvrit les yeux, croisa son regard. Et ce que Tracy y lut lui ravit le souffle : un désir à l'état brut.

— Tu veux faire l'amour avec moi, c'est ça ? Je t'ai bien comprise ?

Timidement, elle hocha la tête.

— Parfait, nous allons faire l'amour. Et je peux te jurer que je vais faire tout ce qui est en mon pouvoir pour que jamais tu n'oublies la nuit que nous allons passer ensemble.

Son ton était devenu étrange. Il avait prononcé ces mots avec une certaine dureté, pour ne pas dire cruauté…

A l'instar des autres pièces, la chambre de Garrett était lambrissée, la baie vitrée dépourvue de doubles rideaux et le sol recouvert de tapis artisanaux. Quelques photos étaient accrochées aux murs. Le mobilier était sobre, constitué d'une immense armoire en chêne clair et d'un lit moins imposant que Tracy se l'était imaginé.

A l'extérieur, de chaque côté de la fenêtre, se dressaient d'impressionnants lauriers, et entre les deux, le ciel déployait avec bonheur sa palette chromatique d'oranges et de violets. La brise murmurait dans les feuilles des arbres, rythmant le soir de façon apaisante.

En face de la fenêtre, une immense cheminée occupait le mur. Garrett se dirigea immédiatement vers le foyer pour raviver les flammes. Quelques minutes plus tard, elles crépitaient dans l'âtre et léchaient les bûches. Alors il se retourna et lui fit face.

Tracy aspira lentement, calmement, une large bouffée d'air… qui ne la calma pas du tout ! Garrett la troublait tellement…

De fait, elle avait toujours pensé que, la première fois, ce serait avec un garçon de son âge, aussi inexpérimenté qu'elle. Et voilà qu'elle se retrouvait en face d'un homme très sûr de lui !

Au moins, songea-t-elle dans un éclair de lucidité, elle pourrait toujours se vanter d'avoir été amoureuse de son premier amant, ce qui n'était pas le cas de toutes les femmes.

Depuis qu'ils étaient entrés dans la chambre, ils n'avaient pas échangé un mot. De la façon la plus naturelle du monde, Garrett se dirigea vers elle, posa ses mains sur ses épaules et, toujours en silence, l'attira contre son torse. Puis il fit glisser ses paumes ouvertes le long de son dos…

Elle ferma les paupières lorsqu'il enlaça sa taille.

Elle se sentait si bien dans ses bras, il lui semblait que tout allait de soi, avec Garrett Fortune ! Elle nicha sa tête contre sa poitrine chaude, s'emplissant les poumons de la subtile fragrance qui émanait de sa personne, puis écouta le tambourinement de son cœur, là, tout près de son oreille…

Cette nuit, elle allait être à lui, et il serait à elle. C'était la seule chose qui comptait. Peu importait la suite.

A cet instant, Garrett la saisit par le menton pour la forcer à le regarder. Il la scruta attentivement, comme pour s'assurer qu'elle ne regrettait pas ce qu'ils allaient faire. Comme pour lui dire qu'il était encore temps de renoncer.

Mais Tracy avait pris sa décision et elle s'y tiendrait. A aucun prix, elle n'aurait abandonné la partie. Ce soir, elle serait résolument égoïste, ne penserait qu'à elle. Le souvenir de cette nuit passée avec Garrett rendrait plus supportables celles à venir.

Afin de lui faire comprendre qu'elle ne nourrissait aucune hésitation, elle se mit sur la pointe des pieds et effleura ses lèvres de sa bouche. Alors il l'étreignit ardemment et la souleva de terre pour lui rendre son baiser avec force.

Elle s'accrocha éperdument à lui. La chaleur inondait son corps, consumait son âme.

Tout en continuant de l'embrasser avec passion, Garrett la porta vers le lit, la déposa gentiment sur le rebord, puis s'assit à côté d'elle. De nouveau, il la regarda, mais cette fois, elle ne lut aucune interrogation dans ses prunelles, seulement la lueur du désir.

Elle posa alors une main sur l'une de ses joues rugueuses et attira son visage à elle pour l'embrasser. Sans broncher, il lui céda le contrôle de la situation. Puis il plaqua l'une de ses mains dans le creux de ses reins et pressa sensuellement son corps contre le sien. De son autre main, il étreignit l'un de ses seins…

Brusquement, elle le repoussa… pour retirer son pull, tout en le regardant bien droit dans les yeux. Il lui sourit d'un air langoureux, puis du bout des doigts, caressa son soutien-gorge en dentelle. Elle entreprit alors de déboutonner sa chemise…

Avec délices, elle tâta son torse viril. Elle ne soupçonnait pas que le torse d'un homme puisse offrir ce mélange de force et de douceur… Elle était si absorbée par l'exploration de cette puissante poitrine, de ces larges épaules, de ce ventre musclé, qu'elle ne remarqua pas qu'il venait de dégrafer son soutien-gorge.

En revanche, elle sentit soudain ses paumes brûlantes sur sa chair nue. Quelle délicieuse sensation, tout comme la veille… !

— Oh, Garrett, murmura-t-elle.

— Tu es si belle, mon amour, si douce…

Il se pencha alors sur sa poitrine pour capturer un de ses seins…

Elle ne put retenir un cri de plaisir et noua ses mains autour de sa nuque. Peu à peu, Garrett bascula en arrière, sur le lit, l'entraînant dans sa chute calculée.

A présent, il caressait sa poitrine, son ventre, ses cuisses… A son tour, un gémissement lui échappa — gémissement qui étonna Tracy et la ravit en même temps. Qu'il était grisant de sentir son pouvoir sur cet homme si viril ! Elle se pressa davantage contre lui.

— Tracy, dit-il enfin, haletant, arrête, j'aimerais que cela dure plus que cinq minutes.

— Et combien de temps est-ce censé durer ?

Il la gratifia d'un sourire canaille et répliqua :

— Toute la nuit.

Sa bouche s'assécha soudain et elle eut un petit rire nerveux. Se méprenant sur les raisons de son hilarité, il se mit à rire lui aussi et inversa subitement leur position.

130

Lorsqu'elle fut sur le dos, il glissa une main entre leurs deux corps et déboutonna le jean de Tracy. Puis, son regard enchaîné au sien, il introduisit sa main sous l'élastique de son string en dentelle.

Le cœur de Tracy battait à tout rompre dans sa poitrine tandis que la main de Garrett s'engageait de plus en plus bas. A présent, ses doigts, tout comme la veille au soir, exploraient les replis de sa chair intime. Alors elle ferma les yeux pour savourer le plaisir qui allait la submerger.

— Non, Tracy, ouvre les yeux, ordonna-t-il. Je veux que tu me regardes quand je te caresse.

Incapable de lui désobéir, elle plongea ses prunelles dans les siennes, mais bientôt, son regard se brouilla sous l'effet de caresses de plus en plus précises, de plus en plus exquises.

Ses yeux manquèrent de se refermer, elle cligna plusieurs fois des paupières, se raccrocha au regard de Garrett et vit le sourire lascif qui illuminait son visage. Elle s'abandonna alors aux vagues de plaisir qui la submergèrent…

Puis, sans même s'en rendre compte, elle se retrouva nue. Sa peau contre sa peau. Elle vit alors Garrett se lever, ouvrir le tiroir de la table de nuit à la recherche d'un préservatif. Un instant plus tard, il était de nouveau contre elle, entre ses cuisses… Etreint par l'urgence du désir, il plongea en elle.

Une douleur cuisante la transperça quand il franchit la barrière de sa virginité. Elle ne put retenir un cri et ses yeux se mouillèrent involontairement de larmes.

Garrett se figea.

— Tracy, fit-il d'une voix blanche, tu… tu n'aurais pas oublié de me préciser un petit détail ?

Elle détourna les yeux, incapable de supporter le poids de son regard.

— Je voulais être amoureuse, la première fois, finit-elle par murmurer.

— Mais, ton fiancé…

— Oh, lui et moi n'avons jamais… C'est avec toi que je voulais faire l'amour pour la première fois.

Il continuait de scruter son beau visage en silence, sans bouger. Elle darda sur lui des yeux inquiets. Allait-il se retirer, la rejeter ? Doucement, elle se mit à onduler sous lui. Les prunelles de son amant s'assombrirent, mais il demeura immobile.

— Je t'en prie, Garrett, continue. Fais-moi l'amour, s'il te plaît.

Alors il ferma les yeux, et d'un mouvement de reins, reprit son va-et-vient au plus profond de son intimité. Elle enroula prestement ses jambes autour de sa taille, tandis qu'il se mouvait en elle.

Peu à peu, la douleur régressa pour laisser place à un plaisir qui la gagnait par ondes circulaires. Leurs corps dansaient à l'unisson et la volupté dictait sa loi. Il l'emmenait toujours plus loin, l'étreignait toujours plus étroitement, tandis que leurs souffles mêlés se perdaient dans la nuit silencieuse du Wyoming.

Enfin, épuisé et pantelant, il retomba sur elle.

Une fois qu'il eut repris son souffle, il prit l'ovale de son visage entre ses mains, comme s'il cherchait dans son regard une réponse à ce qui venait de se passer.

Mais il ne dit rien et se contenta de déposer un baiser sur sa tempe. Alors il se leva et se dirigea vers la salle de bains. Tracy ferma les yeux et, bercée par le bruit de la douche qui aspergeait le corps de son amant, finit par s'endormir. Au petit matin, quand elle se réveilla, la place était vide à côté d'elle.

Il fallait que ça tombe sur lui ! Sans le savoir, il avait fait l'amour à une jeune femme vierge et inexpérimentée…

Juché sur sa jument pommelée, Garrett regardait les premières couleurs de l'aube apparaître au-dessus de la ligne d'horizon. Juste en face de lui, sur la toile bleu pâle du ciel, s'élevaient des collines vertes aux courbes douces et aux vallées profondes. Inéluctablement, le paysage lui rappela le corps de Tracy…

Après qu'elle se fut endormie, il s'était de nouveau repu du spectacle de cette belle alanguie. Il n'avait pu s'empêcher d'effleurer son corps de ses doigts, de se pencher au-dessus d'elle pour s'imprégner de son odeur… Elle était si belle et semblait tellement à son aise. Oui, il semblait tout à fait dans l'ordre des choses que la charmante et merveilleuse Tracy soit dans son lit. Garrett rejetait farouchement toute idée d'un éventuel départ.

Soudain, à force de la contempler et de lui voler de furtives caresses, il avait senti son désir pour elle grandir et éprouvé la brusque envie de la réveiller pour de nouveau lui faire l'amour. Encore et encore. Mais, ce qu'il l'en dissuada, ce fut la crainte d'un refus de sa part. Il redoutait de lui avoir fait mal, tout à l'heure…

De toute façon, mieux valait la laisser dormir. Il redoutait que cette nouvelle tentative, au lieu de le rassasier, avive son désir, et le rende totalement dépendant de cette femme.

Il n'était pas parvenu à s'endormir, soucieux de la suite des événements.

Bon, s'était-il dit, il s'agissait d'une simple histoire de sexe. Oui, uniquement. Ce n'était pas la première fois qu'il couchait avec une femme pour assouvir son désir, alors pourquoi avec Tracy cela aurait-il été différent ?

Pourquoi ? Eh bien, pour commencer, parce que c'était une première pour elle. Oui, il avait été son premier amant.

Cette pensée l'avait brusquement grisé. Et soudain, il s'était rappelé ses propos : « Je voulais être amoureuse, la première fois. » De nouveau, un drôle de vertige s'était emparé de son être.

Ah, sous l'emprise de la passion, on disait des choses insensées, que l'on ne pensait pas. Et tout à l'heure, Tracy ne savait plus ce qu'elle disait, ne pensait pas ce qu'elle disait… C'était impossible.

Pourtant… Pourtant, son visage reflétait réellement l'expression de l'amour quand elle s'était donnée à lui.

Les yeux fixés sur la ligne d'horizon, il aspira une large bouffée d'air frais. Allons, Tracy était fiancée. Et ce n'était pas parce qu'elle avait retiré sa bague qu'elle était dégagée de ses obligations. Mais quelles étaient donc ces obligations qui la poussaient à épouser un homme qu'elle n'aimait pas ?

Tracy était si jeune, si inexpérimentée ! S'il avait su qu'elle était vierge, il aurait été plus prévenant, moins fougueux.

Il voulait lui faire l'amour une deuxième fois, pour lui montrer toute la tendresse dont il était capable. Oui, il voulait lui faire l'amour lentement, lascivement, divinement…

La prochaine fois qu'ils coucheraient ensemble — car il ne doutait pas une seconde qu'il y aurait une prochaine fois, il ne voulait pas la laisser repartir pour Minneapolis sans la combler de nouveau — elle ne serait pas près d'oublier ses caresses.

Même si Tracy devait ensuite regretter à jamais d'avoir fui le Wyoming pour Minneapolis.

Fort de cette résolution, Garrett éperonna sa jument, puis s'élança vers la maison pour retrouver la jeune femme.

Hélas, elle ne s'y trouvait pas. Le lit était encore chaud, les draps tout imprégnés de son odeur, mais Tracy avait disparu. C'était étrange… Il était passé devant le chalet et aurait juré qu'il n'y avait personne.

Ils avaient dû se manquer, se dit-il avant de se rendre compte que si tel avait été le cas, il l'aurait forcément croisée sur le chemin qui menait du chalet à la résidence principale. Ce qui signifiait que l'entendant venir, elle l'avait évité, délibérément.

Pourquoi avait-elle agi de la sorte ? Elle l'aimait, elle le lui avait dit.

De nouveau, il jeta un regard aux draps froissés, souvenir de leurs ébats. Non, il n'allait pas rester comme ça.

Il allait commencer par se raser. Un homme se devait d'être impeccable lorsqu'il allait rendre visite à sa maîtresse.

Mais quel accueil Tracy allait-elle lui réserver ?

Tracy sursauta en entendant les coups frappés à sa porte. Elle n'attendait personne — et certainement pas Garrett.

Quand, à son réveil, elle ne l'avait pas trouvé à son côté, elle avait cru qu'il était en train de préparer le petit déjeuner ou de se livrer à un quelconque rituel matinal.

Intriguée par son absence prolongée, elle avait fini par se lever, et l'avait cherché en vain dans la maison. Il n'était nulle part. Elle avait décidé de prendre une douche, se disant qu'il était peut-être parti faire un tour.

Mais, quand elle était ressortie de la salle de bains, Garrett n'était toujours pas revenu. Elle en avait donc conclu qu'il la fuyait, et lui laissait tout le temps nécessaire pour évacuer les lieux avant son retour. Tâchant de surmonter la déception qui l'avait alors étreinte, elle s'était habillée rapidement pour revenir au chalet.

Ils avaient failli se croiser.

Lorsqu'elle avait entendu les sabots de son cheval, elle avait relevé le menton, prête à l'affronter.

Et puis, sans trop savoir pourquoi, au dernier moment, elle avait changé d'avis et cherché rapidement une cachette pour éviter cette rencontre. Elle s'était dissimulée derrière les fourrés, et il était passé juste à côté d'elle sans la voir.

Mais à quoi s'était-elle attendue ?

Il était évident qu'elle ne lui avait pas laissé un souvenir mémorable, la nuit dernière. Elle n'était qu'une vierge maladroite, qui ne savait pas comment satisfaire un homme. Pourquoi aurait-il souhaité passer davantage de temps en sa présence ?

En y repensant bien, elle se rendit compte qu'elle avait été plus que maladroite — oui, elle s'était montrée totalement passive, incapable de la moindre initiative, de la moindre audace. Elle qui rêvait pourtant d'explorer toutes les parcelles de son corps.

Lui ne s'en était pas privé…

Allons, pensa-t-elle soudain, elle n'avait pas été si passive que ça ! Au contraire, elle s'était sentie très vivante sous ses caresses. A la douleur de la pénétration s'était très rapidement substitué un sentiment de plénitude absolue. Garrett et elle n'avaient plus formé qu'un seul être et leur pouls avait battu à l'unisson. Un seul être, une seule âme… Elle avait cru que c'était pour toujours.

Hélas ! Leurs corps s'étaient séparés et chacun avait rejoint les limites de son territoire. Pire encore : Garrett avait déserté le champ de leur bataille amoureuse. Et maintenant, c'était à son tour de fuir !

Elle était en train de faire ses bagages lorsque les coups retentirent à sa porte. Elle resta d'abord figée et les coups redoublèrent. Evidemment, ce ne pouvait être que lui !

Elle finit par lui ouvrir. Il était vêtu d'un jean et d'un chandail ocre, rasé de près. Elle aurait donné cher pour savoir ce qu'il pensait, ce qu'il ressentait. Il lui jeta un regard las, dans lequel elle crut lire un soupçon de mélancolie.

Non, ce devait être la lumière trompeuse du matin… Pourquoi serait-il mélancolique ? Il venait simplement l'aider à porter ses bagages pour accélérer son départ !

— Bonjour, lui dit-elle en se tenant à la porte, les jambes soudain chancelantes.

— Bonjour, répondit-il de sa voix chaude et grave.

Regardant par-dessus l'épaule de Tracy, il remarqua ses sacs fermés.

— Tu vas quelque part ? demanda-t-il d'un air détaché.

— Oui, je rentre aujourd'hui chez moi. Mon père m'attend. Je dois rencontrer le pilote du jet dans une heure.

— Une heure ? répéta-t-il, abasourdi.

— Eh oui… En tout cas, sache que j'ai passé un très bon séjour, que je me suis bien reposée et que j'ai bien réfléchi.

« Et puis, j'ai connu une expérience unique » ajouta-t-elle en son for intérieur.

— Certes, mais…

— Mais quoi ? l'interrompit-elle brutalement.

— Il faut que nous parlions.

Amusant, non, la façon dont les rôles s'étaient inversés en vingt-quatre heures ?

Manque de chance, aujourd'hui, elle n'avait plus aucune envie de discuter avec lui ! Car elle n'était pas certaine de pouvoir entendre ce que Garrett avait à lui dire.

— Je doute que ce soit une bonne idée. La dernière fois que nous avons voulu parler, nous nous sommes retrouvés au lit.

— Et alors, c'était si désagréable que ça ?

— Là n'est pas la question !

— Pourquoi ? Cela ne t'a pas déplu, il me semble ?

— Ecoute, Garrett, comme tu peux le constater, je vais partir.

— Pourquoi ?

— Parce que je dois partir, d'accord ?

— Non, je ne suis pas d'accord. Pas avant que nous ayons eu une petite discussion, toi et moi. Une discussion sérieuse.

— Pourquoi ? Parce que je n'ai pas été à la hauteur, cette nuit ?

— Non, c'est moi qui n'ai pas fait ce qu'il fallait.

Elle le regarda, abasourdie. Elle aurait voulu fuir son regard. Il lui faisait l'effet d'un animal indompté, indomptable, prêt à bondir.

— Que… que veux-tu dire, exactement ?

Il soupira, visiblement gêné, puis finit par déclarer :

— Ecoute, si j'avais su que pour toi, c'était la première fois, alors les choses auraient été différentes.

— En quoi ? demanda-t-elle, le cœur battant.

— J'aurais été plus prévenant, voilà. Tu m'as vraiment fait tourner la tête, et je n'avais plus qu'une envie : te faire l'amour.

Elle retint sa respiration.

— Si j'avais su que c'était la première fois pour toi, poursuivit-il de sa voix veloutée, j'aurais été plus attentif à ton plaisir, j'aurais fait en sorte que ce soit inoubliable.

Il plaisantait ou quoi ? Difficile de lui donner plus que ce qu'il lui avait donné la nuit dernière…

— Sois sans crainte, je ne suis pas traumatisée, déclara-t-elle d'un air crâne. N'y pensons plus !

— C'est ce que tu t'apprêtes à faire ? Oublier ce qui s'est passé entre nous ?

Elle le foudroya du regard, excédée. Pourquoi était-il revenu frapper à sa porte ?

— Parfait ! poursuivit-il devant son mutisme ostensible. Ne réponds pas à cette question si tu n'en as pas envie. Je te donne une deuxième chance. Que comptes-tu faire à ton retour à Minneapolis ?

Pourquoi s'amusait-il à la torturer ? Ne voyait-il pas que son cœur était en mille morceaux ?

— Eh bien, je suppose que je déferai mes bagages, rangerai mes habits, et puis j'irai me préparer une salade, ou un sandwich. Ensuite, je lirai certainement, puis j'allumerai la télévision et…

— Ça suffit ! Tu sais très bien de quoi je parle, déclara-t-il en haussant le ton. Envisages-tu toujours de te marier, Tracy ? lui demanda-t-il sans la quitter des yeux.

A son tour, elle le scruta longuement, sentant l'amertume l'envahir, l'étouffer…

— Bien sûr, dit-elle avec lenteur, j'envisage toujours de me marier. Pourquoi aurais-je changé d'avis ?

C'était maintenant ou jamais, pensa-t-elle. Il pouvait encore la faire changer d'avis…

— La nuit dernière n'a donc rien changé à tes projets ?

— Ecoute, Garrett, ce qui s'est passé entre nous était merveilleux. Enfin, pour moi, ça l'était, je sais que pour toi, c'était différent. Je suis désolée pour mon inexpérience, je…

— Qui te dit que ce n'était pas merveilleux pour moi aussi ?

Elle le regarda, troublée.

— Contrairement à ce que tu sembles croire, poursuivit-il, j'ai eu autant de plaisir que toi, hier soir.

— Dans ces conditions, permets-moi de te retourner ta question.

— Que veux-tu dire ?

— Est-ce que tes sentiments ont changé, depuis la nuit dernière ?

— Mes sentiments ? De quels sentiments parles-tu ?

Sa gorge se noua. Elle ne s'attendait pas à un tel cynisme. Inutile d'insister, cette fois elle avait compris.

— C'est sans importance, rien n'a d'importance.

— Alors tu pars vraiment ? Là, dans une heure ?

— Oui.

— Et tu vas épouser Lyle Norton ?

— Oui.

— Pourquoi ne pas rester jusqu'à demain ?

— Parce que !

— Ce n'est pas une réponse.

— C'est la mienne.

— Bien !

Finalement, le silence devint si intolérable qu'elle recula de quelques pas pour lui faire comprendre qu'il devait partir. Qu'ils n'avaient plus rien à se dire. Lui tournant le dos, elle se pencha pour prendre ses bagages.

— Laisse-moi t'aider, dit-il.

— Non merci, tu en as assez fait pour moi, je crois.

Ignorant sa réponse, il prit un bagage dans chaque main, et déclara :

— C'est le moins que je puisse faire.

Puis il sortit de la maison, en direction de la voiture de location.

Garrett marchait vite, sans se retourner. Elle le suivit de loin, ne cherchant pas à le rattraper. Il valait mieux après tout qu'il ne se trouve pas à côté d'elle, elle aurait été capable de se ridiculiser encore en lui tenant des propos insensés, ou de se jeter à ses pieds pour le supplier de l'aimer aussi fort qu'elle l'aimait.

Au moins, il garderait un bon souvenir d'elle, puisqu'il avait avoué avoir pris du plaisir, lui aussi.

Lorsqu'elle arriva à la voiture, garée près de la résidence principale, Garrett avait déjà mis les bagages dans le coffre et disparu.

Voilà, c'était fini, songea-t-elle. Il n'allait même pas lui dire au revoir. La gorge serrée, elle monta dans la voiture et mit le contact.

Lorsqu'elle appuya sur l'accélérateur, elle ne put se retenir de jeter un coup d'œil dans le rétroviseur.

C'est alors qu'elle le vit, posté derrière la fenêtre. Il la regardait partir. Les graviers crissèrent sous ses pneus et elle se demanda si, un jour, elle pourrait penser à *Destination finale* autrement que comme l'ultime station où son cœur était descendu.

11.

Indifférent au drame qui se jouait dans le cœur de Tracy, un soleil radieux et prometteur brillait de tous ses feux le samedi d'avril où l'on devait célébrer son mariage avec Lyle Norton.

A son réveil, comme conditionnée, la jeune femme pensa immédiatement à son sens du devoir. Elle voulait s'accrocher à cette idée, comme un phare qui l'aurait guidée dans le brouillard.

Quelques heures plus tard, elle enfila avec des gestes automatiques sa robe de mariée tout en perles et dentelle, et chaussa ses escarpins blancs. Elle releva ses cheveux qu'elle maintint à l'aide de deux peignes en écaille, puis posa la couronne de son long voile sur le sommet de sa tête. Enfin, elle attacha autour de son cou un collier en perles nacrées qui avait appartenu à sa mère et des boucles d'oreilles assorties, en forme de gouttes. Durant tout ce temps, elle ne cessait de se répéter qu'elle avait fait le bon choix…

Mais, en dépit de sa force de caractère, elle ne pouvait s'empêcher de penser à Garrett Fortune. Aux heures délicieuses qu'elle avait connues dans ses bras.

Ah, si seulement c'était pour lui qu'elle avait revêtu cette robe de mariée ! Alors elle aurait eu l'impression d'épouser l'homme qu'il lui fallait, pour reprendre l'expression de Kate.

Elle se planta devant son miroir, contempla l'inconnue qui s'y reflétait, et fut prise d'une subite nausée. Quelle mascarade !

pensa-t-elle. Une mascarade qu'elle se jouait à elle-même depuis plusieurs mois à présent.

Au lieu de détourner les yeux, de fuir son reflet, elle se força à fixer longuement la mariée qui lui faisait face. C'est alors qu'elle comprit que le respect qu'elle se devait à elle-même était finalement plus important que le sens du devoir. Epouser Lyle Norton était au-dessus de ses forces.

C'était décidé : elle allait mettre un terme à cette sinistre plaisanterie.

Elle n'aimait pas Lyle, ne l'aimerait jamais et lui ne l'aimait pas davantage. Ce mariage arrangé serait son tombeau, jamais elle ne connaîtrait le bonheur. Et si elle était malheureuse, Lyle le serait aussi. Non, il n'était pas honnête de l'épouser alors qu'elle était amoureuse d'un autre homme. Et si elle voulait rester intègre, elle devait renoncer à ce mariage.

Sa décision était irrévocable.

Mais de quelle façon annoncer la nouvelle à Lyle ? Comment lui faire faux bond avec diplomatie et en douceur, à deux pas de l'autel ?

Même si elle ne l'aimait pas, elle ne souhaitait en aucun cas l'humilier. Après tout, il ne lui avait rien fait ; il n'existait aucun contentieux entre eux — juste de l'indifférence.

Elle jeta un coup d'œil à la pendule : il était exactement 13 heures et la cérémonie commençait dans deux heures. Lyle et sa famille l'attendaient pour 14 heures. Les invités n'allaient pas tarder à arriver. Comment faire ?

Bon, pensa-t-elle en tâchant de respirer calmement, la plus grande honnêteté s'imposait. Pour une fois dans sa vie, elle devait dire la vérité à tout le monde, la vérité telle qu'elle la ressentait. En un mot, faire fi des convenances.

Soudain, on frappa doucement à sa porte ; son père passa sa tête dans l'entrebâillement.

— Tracy, ma chérie, je peux entrer ?

— Bien sûr, papa.

Quel drôle d'air il avait ! Lui qui avait appelé ce mariage de tous ses vœux, pourquoi faisait-il cette tête d'enterrement ? D'autant que, depuis son retour du Wyoming, il n'avait cessé de lui dire combien il était fier d'elle, combien il lui était reconnaissant. Quel contraste frappant !

— Que se passe-t-il, papa ? demanda-t-elle, inquiète.

— Deux choses, annonça-t-il alors, prenant visiblement son courage à deux mains. D'abord, je viens d'avoir Lyle au téléphone.

— Et alors ? fit-elle, le souffle court.

Son père rajusta nerveusement sa cravate, enfonça ses mains dans les poches de son pantalon noir, puis prit une longue inspiration. Le tout sans jeter un seul regard à Tracy.

— Oh, sois sans crainte, il va bien, seulement… Enfin…

— Pour l'amour du ciel, papa, dis-moi ce qui se passe !

Ronald Riley poussa un soupir, irrité, et déclara :

— Lyle m'a appelé de sa voiture. Il est en route pour l'aéroport.

— L'aéroport ? Je ne comprends pas…

— Tu sais, ce marché qu'il négocie depuis la semaine dernière et pour lequel il attendait une réponse avec impatience ? Eh bien, il vient de le conclure et on lui demande d'aller le signer sans délai à Hong Kong.

A ces mots, Tracy éclata de rire. L'attitude de Lyle frisait le comique !

— Quoi ? Il annule son propre mariage pour aller signer un contrat ? parvint-elle enfin à articuler.

— Il s'agit de plusieurs millions de dollars, ma chérie, lui rappela son père. Mais je comprends ton désarroi.

Visiblement, il se trompait sur la signification de son rire.

— D'ailleurs, poursuivit-il, je n'ai pas été très tendre avec lui, en apprenant la nouvelle. Je lui ai dit qu'il devrait avoir honte de reporter son mariage pour…

— Reporter ?

Ce n'était pas vraiment ce qu'elle avait en tête. Elle optait plutôt pour une solution plus radicale — une annulation pure et simple ! Mais les vieux réflexes ayant la peau dure, elle s'entendit dire :

— A quand ?

— Euh… il n'a pas fixé de date précise. Il a simplement dit que vous en reparleriez tous les deux et que vous conviendriez d'une nouvelle date. Il t'appellera dès son retour de Hong Kong, en fin de semaine prochaine.

— Inutile : nous ne reporterons pas le mariage.

Se méprenant sur le sens de ses propos, son père objecta :

— Cela va être difficile dans la mesure où, à l'heure qu'il est, Lyle doit être en train d'embarquer.

Soudain, Ronald Riley s'inquiéta. Pourquoi sa fille souriait-elle alors qu'il lui annonçait une nouvelle aussi peu réjouissante ?

— Tracy, qu'y a-t-il ? Je t'annonce que ton mariage doit être reporté et cela te fait sourire ?

Sourire ? Quel euphémisme ! Cela la remplissait d'allégresse. Pour toute réponse, elle partit d'un rire joyeux et cristallin.

— Je suis étonné que tu le prennes si bien, observa Ronald.

— Le destin semble enfin être de mon côté, lui répondit-elle de façon énigmatique.

— Mais enfin, Tracy, de quoi parles-tu ?

— Avant que tu entres dans ma chambre, j'étais précisément en train de me demander comment j'allais annoncer à Lyle que je ne pouvais pas me marier avec lui.

Cette fois, ce fut à Ronald Riley de s'écrier :

— Pardon ?

Tracy secoua la tête et traversa la pièce pour prendre les mains de son père dans les siennes.

— Je suis navrée, papa, mais c'est réellement au-dessus de mes forces. Je ne l'aime pas, et il ne m'aime pas. Entre nous, ça ne marcherait jamais.

— Tu es réellement certaine que vous ne pourrez jamais vous aimer, tous les deux ?

— Oui, répondit-elle avec conviction.

— Mais comment peux-tu être si sûre de toi ?

— Parce que je suis amoureuse de quelqu'un d'autre, tout simplement.

Un éclair de surprise dansa dans les yeux de son père. Puis il se reprit et déclara :

— C'est probablement ce qui explique la deuxième chose que j'ai à te dire.

— Une deuxième chose ?

— Un homme demande à te voir. Il est ici, dans le salon.

Le cœur de Tracy se mit à battre la chamade dans sa poitrine.

— Un homme ? Mais qui ?

— Garrett Fortune.

— Dis-lui que j'arrive, s'exclama-t-elle, les joues en feu.

Son père lui saisit alors le poignet et déclara gravement :

— Tracy, pourquoi ne m'as-tu rien dit, jusqu'à présent ? Jamais je ne t'aurais demandé d'épouser Lyle si j'avais su que tu étais amoureuse d'un autre homme.

— Moi-même, je ne le savais pas, avant de le rencontrer... Oh, mais papa... que va-t-il advenir de Riley Communications ?

— Je créerai une nouvelle société, j'ai l'habitude de me battre.

— Mais...

— Ça ne fait rien, Tracy. Ton bonheur passe avant tout et jamais je n'aurais dû te proposer ce mariage avec Lyle. Ne t'inquiète pas pour moi : je saurai rebondir.

Elle se mit alors sur la pointe des pieds et déposa un baiser sur la joue de son père, tout en le remerciant de tout cœur.

— Je dis à ton ami de monter, déclara Ronald en ouvrant la porte de sa chambre. Pour ma part, je dois sortir.

— Où vas-tu, papa ?

— Chez les parents de Lyle. Leur dire que même si leur fils vaut des millions, il n'est pas assez bien pour ma fille adorée.

— Papa ! fit-elle, mi-amusée, mi-indignée.

— Rassure-toi, je ne vais pas leur dire de cette façon, même si c'est réellement ce que je pense.

Deux minutes plus tard, c'était Garrett en personne qui franchissait le seuil de sa porte. En jean délavé, chemise en denim et boots, il avait une allure incroyablement sexy !

— Désolé pour ma tenue, déclara-t-il d'emblée. J'ai quitté *Destination finale* en catastrophe, ce matin, et je n'ai pas eu le temps de me changer.

Ce matin ? Il avait dû partir à l'aube…

— Je me suis engouffré dans mon jet pour venir jusqu'à toi. Oh ! j'ai oublié de te dire que j'avais un brevet de pilote, mais il y a tellement de choses que j'ai oublié de te dire…

— Comme quoi ? demanda-t-elle le cœur battant, la voix étreinte par l'émotion. Pourquoi es-tu ici ?

Il ne répondit pas immédiatement, mais laissa courir son regard sur sa robe de mariée. Quand, de nouveau, leurs yeux se rencontrèrent, elle lut un curieux mélange d'angoisse et d'espoir dans ses prunelles.

— Parce que je devais te voir avant que tu t'engages pour la vie avec un autre, répondit-il d'une voix plus rauque que d'ordinaire. Je dois te dire quelque chose de très important. De primordial.

— Quoi donc ?

— Ne te marie pas, Tracy ! Du moins pas avec Lyle. Si tu tiens vraiment à te marier, alors épouse-moi !

A ces mots, elle crut que son cœur allait bondir hors de sa poitrine.

— Pourquoi t'épouserais-je ? balbutia-t-elle, même si elle pouvait trouver un millier de bonnes raisons de le faire.

A cette question, il posa ses mains sur ses hanches et déclara d'un air impertinent :

— Parce que tu m'aimes, tout simplement. Tu m'aimes moi, et non pas mon argent.

Elle ne savait pas exactement ce qui avait poussé Garrett à changer d'avis, mais désormais il l'estimait capable d'amour. C'était nouveau. Néanmoins, cela ne prouvait rien sur la nature de ses sentiments envers elle. On pouvait changer d'opinion sur une personne sans pour autant se mettre à l'aimer ou à la détester. Sans que cela induise forcément un revirement des sentiments.

— Le fait que je t'aime ne constitue pas une raison suffisante pour que je t'épouse. Il y a de nombreux autres paramètres à prendre en compte, objecta-t-elle.

A ces mots, Garrett franchit les quelques mètres qui les séparaient encore, et l'enlaçant par la taille, déclara :

— Parfait... Dans ces conditions, épouse-moi parce que je t'aime aussi.

— Et... qu'ai-je donc fait pour t'inspirer brusquement ce genre de sentiment ? demanda-t-elle, incapable encore de croire à son bonheur.

— Tu as fait de moi ton premier amant, et cette nuit-là, j'ai tout compris. Je veux non seulement être le premier, mais aussi le dernier.

— Pourquoi ne l'as-tu pas dit plus tôt ?

— Parce que je ne savais pas comment te l'avouer, répondit-il. Tout était si confus dans mon esprit. Alors j'ai préféré me taire. Et puis, après ton départ pour Minneapolis, j'ai amèrement regretté mon silence. Cette nuit, je me suis réveillé en sursaut, pensant à ton mariage, qui devait avoir lieu aujourd'hui, à 3 heures de l'après-midi...

— Comment savais-tu qu'il avait lieu à 3 heures ? Je n'ai jamais mentionné l'heure devant toi.

— Kate m'a appelé hier soir, c'est elle qui me l'a dit, avoua-t-il. Elle m'a également appris la véritable raison de ton mariage. Alors je me suis dit que si par amour pour ton père, tu épousais Lyle, alors par amour pour moi, tu pourrais peut-être annuler ce mariage-là…

Il se tut un instant, avant d'ajouter, dans un sourire incertain :

—… Et en organiser un autre, mais à une condition : que cette fois, le marié, ce soit moi. Et ma chérie, pour ce qui est de ton père, ne t'inquiète pas. Je peux sans problème lui consentir un prêt. J'ai fait dernièrement de bons investissements, et je suis certain qu'avec un petit coup de pouce, Riley Communications peut repartir.

— J'ai déjà dit à mon père que je ne voulais pas épouser Lyle, car mon cœur appartenait à un autre homme, lui confia-t-elle en souriant. Le mariage est annulé.

— Quoi ? Tu l'as annulé ?

— En fait, c'est Lyle qui…

— Alors ce n'est pas toi ? fit-il, déçu.

— Mais écoute-moi, au lieu de m'interrompre à chaque instant ! lui ordonna-t-elle. Lyle voulait repousser le mariage, et moi je l'ai l'annulé.

— Je préfère ça. Alors, tu veux bien m'épouser ?

— Et comment !

Sans réfléchir, elle noua ses mains autour de sa nuque et l'embrassa passionnément. Décidément, cet homme avait le don de lui chauffer le sang ! C'était la deuxième fois qu'elle se jetait à sa tête. Mais, cette fois, elle était certaine de sa réponse et ne concevait pas le moindre doute sur ses intentions à lui. Au contraire, elle savait qu'il n'attendait que ça.

Quel ouragan ! pensa Garrett avant de l'étreindre à son tour. Et, sans hésitation aucune, il la porta jusque sur son lit.

— Aide-moi à me débarrasser de cette horrible robe, lui dit-elle alors. Je ne peux pas la supporter une seconde de plus.

Il ne se le fit pas répéter, et de ses doigts habiles, dégrafa l'un après l'autre les minuscules boutons recouverts de satin qui couraient de sa nuque à la chute de ses reins. Quand il atteignit le dernier, elle ôta sa robe, l'arrachant presque.

— Doucement, dit alors Garrett, tu vas en avoir besoin pour notre mariage.

— Certainement pas, je déteste cette tenue. Pour notre mariage, j'en veux une bien plus simple. Avec moins de chichis. Plus authentique, comme mon amour pour toi. De plus, je veux que l'on se marie à *Destination finale*. Et pourquoi pas dans ce champ de trèfles ? Et puis, tu sais, nous n'aurons qu'à faire appel à Mollie, elle est parfaite, c'est elle qui a organisé le mariage de Mac et Kelly et…

Mais Garrett écoutait à peine son bavardage, absorbé par la contemplation de son corps. Voyant cela, Tracy sourit et déclara d'une voix douce :

— Toute la matinée, en me préparant, je n'arrêtais pas de penser à toi. Je me disais qu'avec Lyle, la vie allait être un enfer. La nuit que nous avons passée ensemble m'a ouvert les yeux. Oh, Garrett, je t'aime tellement, tellement fort…

A ces mots, le désir s'empara de lui, et il murmura contre l'oreille de Tracy :

— Mon amour, je sais que je t'ai promis que la prochaine fois, nous prendrions tout notre temps, mais je te désire tant que j'ai envie de te faire l'amour sur-le-champ. Serais-tu fâchée que… ?

Fâchée de lui inspirer un tel désir ? Certainement pas ! songea-t-elle en déposant un baiser sur ses lèvres pour toute réponse.

Ils roulèrent alors sur le lit et Garrett retira avec précaution les dessous de soie de Tracy. Après l'avoir étreinte à pleines mains, il se dévêtit à son tour.

— Je veux sentir ta peau brûlante contre la mienne. La sentir frémir de désir, dit-il avant de capturer sa bouche dans un baiser ardent.

Tracy se cambra alors contre lui et, détachant ses lèvres des siennes, déclara :

— Cette fois-ci, je veux moi aussi te toucher.

Dès lors, une sorte d'euphorie s'empara de leurs deux corps et ils n'eurent d'autre choix que de laisser libre cours au langage de leurs sens. Un plaisir intense les submergea tout à coup, les menant de concert vers la volupté suprême…

Souffles mêlés et corps enchevêtrés, ils restèrent ensuite un long moment immobiles, tentant de retrouver des pensées cohérentes, savourant cet amour absolu qui les unissait.

Lorsque Tracy tourna son visage vers lui, le sourire qui l'éclairait fit chavirer l'âme de Garrett. C'était le sourire de l'amour et de la sincérité.

Ils s'étaient enfin trouvés !

Épilogue

— Tracy, ma chérie, quel beau mariage !

A ces mots, l'intéressée adressa un sourire radieux à sa cousine Chloe, perchée sur le comptoir de la cuisine, à *Destination finale*.

— Merci, répondit-elle, mais je n'y suis pas pour grand-chose. Tous les honneurs reviennent à Mollie. D'ailleurs, je ne te remercierai jamais assez de me l'avoir recommandée.

— Je t'en prie, ce n'est rien, répondit Chloe en replaçant machinalement une mèche de cheveux blonds derrière son oreille. Cela fait tellement plaisir d'assister à une cérémonie si émouvante. Vous paraissez tellement heureux, tous les deux !

— Et nous le sommes.

— Je suis si contente pour toi... Avez-vous l'intention de vous établir à *Destination finale* ?

— Oui, nous comptons en faire un ranch prospère. Garrett a démissionné de son poste chez Fortune Corporation, et il est très enthousiaste à l'idée de vivre ici.

A cet instant, Garrett poussa la porte de la cuisine et Tracy sentit aussitôt son regard brûlant de désir posé sur elle.

Elle espérait que les derniers invités allaient rentrer chez eux au plus vite afin de pouvoir profiter pleinement de lui.

Pleine de tact, Chloe déclara :

— Bon, je crois qu'il est temps de partir.

Descendant du comptoir où elle était toujours juchée, elle déposa un baiser sur la joue de Garrett :

— Je suis très heureuse pour toi, Garrett. Tu as vraiment trouvé le grand amour.

— Merci, il est vrai que je suis comblé.

Quand la jeune femme fut sortie de la cuisine, Garrett lança un regard lascif à Tracy et déclara :

— Et si nous nous éclipsions ? Il reste encore quelques invités, mais ils sont si occupés à boire et à danser que je suis certain que nous n'allons pas leur manquer. Ils s'apercevront à peine de notre absence.

— Et si on leur annonçait que la fête est terminée et qu'il est temps pour eux de rentrer ? Tu t'occupes des Fortune et moi, des Riley ? A nous deux, nous allons rapidement nous en débarrasser.

Eclatant de rire, ils sortirent de la cuisine, bras dessus, bras dessous. Ils étaient sur le point de quitter le ranch pour rejoindre le chalet de Kate où ils avaient prévu de passer leur nuit de noces, lorsque, sur une impulsion, Tracy se retourna.

Kate, un large sourire aux lèvres, regardait le jeune couple s'éloigner. Tracy leva la main en signe d'au revoir et de remerciement. Alors son amie porta ses doigts à ses lèvres et lui envoya un baiser, tel un ange gardien.

Le nouveau visage
de la collection Or

◆

AMOURS D'AUJOURD'HUI

Afin de mieux exprimer sa modernité et de vous séduire encore davantage, votre collection Or a changé de couverture et de nom depuis le 1er mars 1995.

Rassurez-vous, les romans, eux, ne changent pas, et vous pourrez retrouver dans la collection **Amours d'Aujourd'hui** tous vos auteurs préférés.

Comme chaque mois, en effet, vous y attendent des héros d'aujourd'hui, aux prises avec des passions fortes et des situations difficiles...

COLLECTION
AMOURS D'AUJOURD'HUI :
Quand l'amour guérit des blessures de la vie...

Chère lectrice,

Vous nous êtes fidèle depuis longtemps?
Vous venez de faire notre connaissance?

C'est pour votre plaisir que nous avons
imaginé un rendez-vous chaque mois
avec vos auteurs préférés, vos
AUTEURS VEDETTE dans les
collections Azur et Horizon.

Les AUTEURS VEDETTE vous
donneront rendez-vous pour de
nouveaux livres vedette.

Pour les reconnaître, cherchez
l'étoile... Elle vous guidera!

Éditions Harlequin

HARLEQUIN

LE FORUM DES LECTEURS ET LECTRICES

CHERS(ES) LECTEURS ET LECTRICES,

VOUS NOUS ETES FIDÈLES DEPUIS LONGTEMPS?

VOUS VENEZ DE FAIRE NOTRE CONNAISSANCE?

SI VOUS AVEZ DES COMMENTAIRES, DES CRITIQUES À FORMULER, DES SUGGESTIONS À OFFRIR, N'HÉSITEZ PAS... ÉCRIVEZ-NOUS À:

> LES ENTERPRISES HARLEQUIN LTÉE.
> 498 RUE ODILE
> FABREVILLE, LAVAL, QUÉBEC.
> H7R 5X1

C'EST AVEC VOS PRÉCIEUX COMMENTAIRES QUE NOUS ALLONS POUVOIR MIEUX VOUS SERVIR.

DE PLUS, SI VOUS DÉSIREZ RECEVOIR UNE OU PLUSIEURS DE VOS SÉRIES HARLEQUIN PRÉFÉRÉE(S) À VOTRE DOMICILE, NE TARDEZ PAS À CONTACTER LE SERVICE D'ABONNEMENT; EN APPELANT AU (514) 875-4444 (RÉGION DE MONTRÉAL) OU 1-800-667-4444 (EXTÉRIEUR DE MONTRÉAL) OU TÉLÉCOPIEUR (514) 523-4444 OU COURRIER ELECTRONIQUE: AQCOURRIER@ABONNEMENT.QC.CA OU EN ÉCRIVANT À:

> ABONNEMENT QUÉBEC
> 525 RUE LOUIS-PASTEUR
> BOUCHERVILLE, QUÉBEC
> J4B 8E7

MERCI, À L'AVANCE, DE VOTRE COOPÉRATION.

BONNE LECTURE.

HARLEQUIN.

VOTRE PASSEPORT POUR LE MONDE DE L'AMOUR.

HARLEQUIN

COLLECTION
ROUGE PASSION

- Des héroïnes émancipées.
- Des héros qui savent aimer.
- Des situations modernes et réalistes.
- Des histoires d'amour sensuelles et provocantes.

LAISSEZ-VOUS TENTER
par 3 titres irrésistibles
chaque mois.

RP-1-R

♉ ♊ ♋ ♌

♍ L'ASTROLOGIE EN DIRECT ♎
TOUT AU LONG
DE L'ANNÉE.

(France métropolitaine uniquement)
Par téléphone 08.92.68.41.01
0,34 € la minute (Serveur SCESI).

Composé et édité par les
éditions Harlequin
Achevé d'imprimer en juillet 2004

BUSSIÈRE
GROUPE CPI

à Saint-Amand-Montrond (Cher)
Dépôt légal : août 2004
N° d'imprimeur : 43349 — N° d'éditeur : 10704

Imprimé en France